GARDER SES CHEVEUX

DU MÊME AUTEUR

Chez le même éditeur

DES CHEVEUX POUR LA VIE
Une méthode globale
(1983)

CHEVEUX RACINES DE VIE
Collection Réponses/Santé
(1991)

HÉLÈNE CLAUDERER

GARDER SES CHEVEUX

ROBERT LAFFONT

Je remercie particulièrement, pour les informations qu'ils m'ont apportées lors de la conception de cet ouvrage, le docteur Cherif Cheik (dermatologue), le docteur Caroline Magrot (gynécologue obstétricien), le docteur Catherine Fournier (endocrinologie), le docteur Fouhed Hamzo (chirurgien plastique) et madame France Giblat (chimiste).

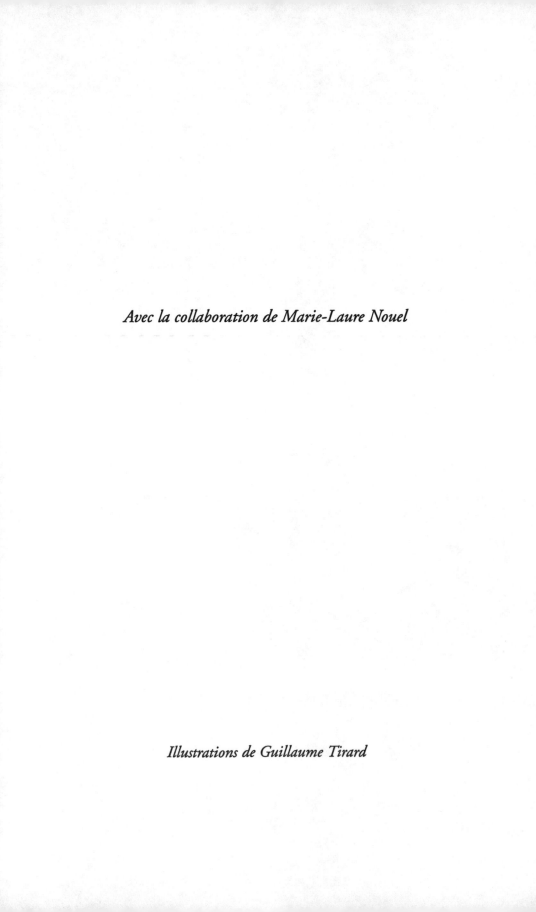

Avec la collaboration de Marie-Laure Nouel

Illustrations de Guillaume Tirard

sommaire

première partie :
comment garder ses cheveux ?   page 19

---

1. La chute des cheveux n'est plus une fatalité   page 21

Contre les idées reçues (21). Agir vite (22). Consulter un spécialiste (23). But de ce livre (24).

---

2. Qu'est-ce qu'un cheveu ?   page 26

Une structure simple (26). Kératine : protéine et soufre (28). Le cycle vital (28). Il est normal que les cheveux tombent (30). Chutes saisonnières (31). Longueurs variables (32). Variations ethniques (33). La couleur (34). Autres propriétés des cheveux (35).

9

3. Pourquoi perd-on ses cheveux ?   page 36

Le rôle des hormones (37). Le stress (38). Facteurs déclencheurs et facteurs aggravants (38). La notion de prédisposition (38). Le gène en question (39). Alopécie et calvitie (40). Importance des trois fonctions vitales (41) : La circulation (41), Le sébum (42), L'élimination (42).

4. Les symptômes d'une vraie chute   page 44

Vrais symptômes (44). Présymptômes (45) : Cuir chevelu épais ou bloqué (46). Faux symptômes (47) : Phénomènes saisonniers, Chevelures très grasses (47), Chute et âge, Manipulations cosmétiques et cassures de cheveux, Accélération temporaire du cycle vital (48).

5. Le diagnostic   page 49

Une étape obligatoire (49). L'interview (50) : La chute, Les antécédents familiaux (50), Le stress, Les carences, Les antécédents médicaux (51), Les traitements cosmétiques (52). L'examen de la chevelure (52) : Le test de la traction, L'examen du cuir chevelu (52). L'analyse au microscope (54). Autres moyens de contrôle des alopécies (57) : Le trichogramme, Le phototrichogramme (57), L'analyse minérale des cheveux (58).

6. Traiter la chute   page 60

Une solution personnalisée (60). Une participation active (61). Champ d'action (61). Base de toute approche (62). Notre approche (63) : Les trois fonctions vitales, Les massages (63), Produits, Fréquence (64). Les mouvements préparatoires (65). Pour la circulation (66). Pour le sébum (67) : Pour l'élimination (68). Schéma de l'approche Clauderer (69. Conseils complémentaires (70) : Aliments, nutriments (70), Analyses de sang (71). Autres méthodes de soins (71) : L'ozonothérapie (71), La mésothérapie, La stimulation électrique, Le laser (72).

7. Alimentation et chute de cheveux   page 73

Protéines (74). Lipides (74). Glucides (75). Vitamines (75). Minéraux et oligo-éléments (75). Liste des aliments (76). Les nutriments de complément (84).

8. Les antichute disponibles sur le marché   page 85

À chaque cas son produit (85). Substances actives... (87). Spécial minoxidil (89). Le finastéride (91).

9. Influence des shampooings   page 92

Le choix (92). Fréquence (96). Comment réussir son shampooing (96).

---

10. Chirurgie et soins capillaires   page 98

Les techniques (98). Les greffes (99). Les autres techniques (103) : Les lambeaux (103), La réduction de tonsure (104), L'expansion tissulaire (105). Les soins capillaires (105) : Avant l'intervention. Après l'intervention (106).

---

deuxième partie : principales chutes de cheveux et exemples de traitements

page 107

---

11. Chute androgénétique chez l'homme   page 109

Androgénétique (109). Les symptômes (110) : Le rythme de la chute (110), Les cheveux gras et les pellicules, Les repousses (111), Localisation (113), Et vous, où vous situez-vous ? (114). Les causes (117) : L'origine du trouble, Le mécanisme (117), Le sébum (118), Ce que l'on n'explique pas (119). Quelques exemples (120).

12. Chute androgénétique chez la femme   page 126

Andro-génétique également (126). Les symptômes (128). Les causes (130) : Mécanisme, Bilan hormonal (130), Jamais chauves , Ce que l'on explique mal (131). **Les questions que vous vous posez (133) :** Contraception et chute, Grossesse et chute (133), Ménopause et chute (134). **Le traitement hormonal (134).** Quelques exemples (136).

---

13. Chute de cheveux et grossesse   page 143

Les symptômes (143). Les causes (144). Quelques exemples (144).

---

14. Chute et glande thyroïde   page 149

Les symptômes (149). Les causes (150). Un exemple (150).

---

15. Chute progressive liée au stress   page 152

Les symptômes (152) : Localisation, Rythme de la chute, Fonctions vitales (153). Les causes (153). **Origine ou conséquence ? (154). Chutes de cheveux et psychisme (155).** Quelques exemples (156).

16. Chute aiguë due à une émotion violente   **page 162**

Les symptômes (162). Les causes (163). Un exemple (163).

---

17. La pelade   **page 165**

Les symptômes (165). Les causes (166) : Psychosomatiques, Héréditaires, Liées à une déficience du système immunitaire (167). Quelques exemples (167).

---

18. Trichotillomanie   **page 170**

Les symptômes (170). Les causes (171). Un exemple (171).

---

19. Chute et prise de médicaments   **page 173**

Les chimiothérapies anticancéreuses (173) : Les symptômes (174), Les causes (175), Soins capillaires (175). **Les autres traitements médicaux** (176). **Quelques exemples** (177).

---

20. Chute liée aux infections   page 180

Les symptômes (180). Les causes (181). Quelques exemples (181).

---

21. Chute et problèmes dentaires   page 184

Les symptômes (184). Les causes (184). Un exemple (185).

---

22. Chute par carences nutritionnelles   page 187

Les symptômes (188). Les causes (188) : Régimes mal équilibrés (188), Carences pathologiques (189). Quelques exemples (190).

---

23. Chute liée à la coiffure   page 193

Les symptômes (193). Les causes (194). Un exemple (195).

---

24. Chute et manipulations cosmétiques   page 196

Les symptômes (197). Le frisage (197). Le défrisage (199). La coloration superficielle (199). La décoloration (200). La coloration permanente (200). Le décapage (201). Cheveux fragiles : les précautions à prendre (202). Un exemple (203).

25. Les cheveux métis et africains   page 204

Caractéristiques (204). Problèmes rencontrés (205). Chutes liées à l'arrêt progressif du cycle vital (206) : Les petites tresses, Les rajouts (206). Défrisage et chute liée aux cassures de cheveux (207) : Conseils pour le défrisage (208), Les soins d'accompagnement (210). Quelques exemples (212).

26. Chute et soleil   page 215

Les symptômes (215). Les causes (216). Un exemple (216).

27. Chute et maladies dermatologiques   page 218

Chutes réversibles (218). Chutes irréversibles (219).

28. Tester vos cheveux   page 220

Comment faire le test ?   page 221

Index des termes spécifiques   page 225

---

première partie :
comment garder ses cheveux ?

1. la chute
des cheveux
n'est plus une fatalité

Il n'y a plus, aujourd'hui, de fatalité en matière de chute des cheveux. Même un homme jeune, dont la calvitie naissante semble être héréditaire, peut ne pas devenir chauve, comme l'a été son père ou son grand-père. L'important est de ne pas se croire battu d'avance, d'adopter une stratégie de soins suivant la nature particulière de son cuir chevelu et de s'y tenir.

contre les idées reçues

Pourtant, l'idée qu'il n'existe rien d'efficace contre la perte des cheveux continue de circuler. Une idée fausse, héritée du siècle dernier, perpétuée de génération en génération et sans cesse entretenue par la désinformation médiatique. Une idée qui encourage résignation ou négligence, et c'est bien dommage. Car, s'il est vrai qu'il n'existe ni produit ni méthode magiques pour faire repousser des cheveux perdus depuis longtemps, on peut toujours éviter le pire et garder tous ceux que l'on a encore sur la tête, au moment où l'on commence les soins appropriés.

> Les progrès accomplis dans la connaissance des cellules capillaires, permettent maintenant de soigner les cheveux qui tombent trop et d'en stimuler la repousse. La plupart des traitements sont peu contraignants, mais, pour obtenir des résultats probants et durables, ils doivent être réguliers et devenir une habitude de vie.

La chevelure, c'est un peu comme les dents : qui viendrait encore prétendre qu'il n'y a rien à faire pour garder une bonne dentition ? La technique dentaire est aujourd'hui telle qu'il est possible de conserver longtemps ses dents d'origine. Pour peu qu'on leur accorde un minimum de temps chaque jour, que l'on accepte de les faire soigner, dès l'apparition d'une affection, et que l'on ne leur donne pas n'importe quoi à croquer.

agir vite

Prédisposition génétique. Dans la très grande majorité des cas, pour les hommes comme pour les femmes, lorsque les cheveux tombent anormalement, il s'agit d'une prédisposition génétique et hormonale aux troubles capillaires, et une chute d'ordre génétique ne se stabilise, ni ne s'inverse jamais d'elle-même. Éventuellement, le processus qui entraîne la perte des cheveux peut ralentir, mais, si l'on n'intervient pas pour rétablir l'équilibre, il se poursuit toujours dans le même sens.

L'essentiel est donc d'agir le plus tôt possible et de ne pas laisser s'installer une situation qui ne s'améliorera pas toute seule. Plus on soigne rapidement les premiers symptômes de chute, plus on peut en prévenir vite l'évolution et retourner la tendance.

Chute ponctuelle. Et puis, même lorsque la chute est ponctuelle et réversible (liée à une prise de médicaments, par exemple), il faut toujours traiter un cuir chevelu fragile et prédisposé à la perte des cheveux, parce qu'il n'est jamais certain que tous les cheveux repousseront de manière totalement équivalente, en quantité comme en qualité. Une chevelure est en fait comparable à une vaste population composée d'individus hétéroclites et vivant indépendamment les uns des autres. En cas d'accident collectif, tout le monde ne réagit pas de la même façon : les bien-portants résistent, tandis que les malades s'affaiblissent encore. Pour les cheveux, le principe est le même : certains sont assez vigoureux pour traverser une crise sans problème, alors que ceux dont les cellules de renouvellement étaient déjà faibles auront tendance à s'affiner, voire à disparaître.

consulter un spécialiste

Question délicate : à qui confier sa chevelure ? S'il est un domaine où les fabricants de rêves ont renforcé le scepticisme du public, c'est bien celui des cheveux. Un vrai spécialiste en soins capillaires se reconnaît à des critères qui ne trompent pas et, pour obtenir des résultats, la marche à suivre est toujours la même. Il faut :

1. Identifier la nature et l'origine de la chute, sachant que les causes sont souvent multiples et qu'elles peuvent se cumuler et

se renforcer les unes les autres. Il est même souvent difficile de raisonner en termes de : « une cause égale une conséquence ». Seul un diagnostic complet permettra d'engager un traitement efficace.

2. Détecter ce qui s'est déréglé au niveau des fonctions vitales du cuir chevelu et agir par un traitement local, spécifiquement adapté à chaque problème posé. L'équilibre de ces fonctions est primordial, il détermine la remise en marche du renouvellement des cheveux. Le traitement doit se faire en deux temps : d'abord, rééquilibrer le cuir chevelu, puis le stimuler.

3. Savoir faire la distinction entre facteurs déclencheurs et facteurs aggravants et, le cas échéant, recommander à la personne concernée de consulter un médecin susceptible de soigner le mal qui a provoqué la chute en amont. Ce médecin, suivant les cas, pourra être un généraliste, mais aussi un dermatologue, un gynécologue ou un endocrinologue, parfois même un psychothérapeute.

4. Conseiller parallèlement une hygiène alimentaire, ou des compléments nutritionnels, en fonction des troubles en question.

but de ce livre

Premier guide consacré exclusivement à la chute des cheveux, ce livre démontre qu'à l'exception de maladies très rares du cuir chevelu, il est possible de vaincre ce problème qui touche les hommes comme les femmes à tous les âges de la vie. Pour les sceptiques qui ne croient plus à rien, pour les angoissés qui ont essayé tous les produits miracles, il ouvre une troisième voie, celle d'une approche rationnelle et personnalisée. Auparavant, le lecteur devra comprendre le mécanisme par lequel ses cheveux sont censés se renouveler normalement (chapitre 2), ainsi que les raisons qui, dans son cas, peuvent en avoir troublé le fonctionnement (les chapitres 3 et 4 sont à cet effet particulièrement importants). Comment vaincre un ennemi si on ne sait pas exactement qui il est ?

2. qu'est-ce qu'un cheveu ?

Chaque cheveu est ancré obliquement dans un *follicule pileux*, petite cavité que l'épiderme a générée en se repliant dans le derme, à la manière d'un doigt de gant retourné. Les follicules sont en place dès le cinquième mois de la vie embryonnaire et, suivant son hérédité, le fœtus en compte entre 70 000 et 120 000 installés sur le crâne. Pour les cheveux, les jeux sont déjà faits : il n'y en aura jamais plus que les follicules ne le permettent.

Également inscrite au programme dès cette époque, une prédisposition génétique à perdre, ou non, ses cheveux plus tard.

une structure simple

La structure même du cheveu est simple : une *tige*, partie libre du cheveu qui émerge à la surface du cuir chevelu, et une *racine* (ou *bulbe*) implantée dans le follicule et située à l'intérieur du cuir chevelu. Lorsque l'on s'arrache un cheveu, la racine est cette extrémité blanchâtre, bien visible à l'œil nu. À sa base se trouve la *papille,* la partie la plus vitale de tout l'ensemble : c'est par elle

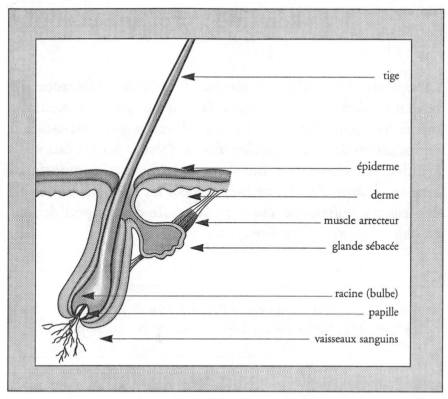

tige

épiderme

derme

muscle arrecteur

glande sébacée

racine (bulbe)

papille

vaisseaux sanguins

Le follicule pileux et ses annexes

qu'arrivent les vaisseaux sanguins, c'est elle qui rattache chaque cheveu au reste du corps. Contrairement à ce que certains semblent croire, les cheveux poussent donc par le bas et non, comme le gazon, par le haut. Inutile d'en couper le bout pour les faire croître plus rapidement, c'est bien par la racine que tout se passe.

À chaque tige sont accolées deux « annexes » : la *glande sébacée* et le *muscle arrecteur*. La glande sébacée produit le *sébum*, substance grasse, déversée dans le *canal folliculaire* et le long des cheveux. Le muscle arrecteur est l'organe de la « chair de poule », phénomène qui se produit à notre corps défendant, en cas de forte émotion ou de froid.

kératine : protéine et soufre

La tige est principalement formée de *kératine*, substance très résistante, dont sont également faits les ongles, les cornes et même les sabots des animaux. La *kératinisation*, c'est-à-dire la reproduction des cellules de kératine, s'effectue dans la racine. La kératine du cheveu est une protéine fibreuse, composée de longues chaînes d'acides aminés. Reliées les unes aux autres par des liaisons soufrées, ces chaînes ont besoin d'un apport de zinc, en oligo-éléments, pour être synthétisées.

Les carences éventuelles en protides, soufre ou zinc sont des facteurs importants dans la dégénérescence des cheveux.

le cycle vital

Un cheveu vit environ 4 ans, puis il meurt et tombe, pour être remplacé par un autre, c'est le *cycle vital*. Pour être plus précis, le cycle vital moyen des cheveux d'un homme est de 3 ans, alors que celui de la femme est plus long : il se situe autour de 5 ans. Chaque follicule est une usine à cheveux : son programme génétique comporte une petite trentaine de cycles, ce qui porterait la vie théorique de notre chevelure à 120 ans environ, la nature prévoit large. Le cycle vital se déroule en 3 actes…

• Le premier acte, le plus long, correspond à la croissance du cheveu et dure de 2 à 7 ans. C'est la phase dite *anagène*, au cours de

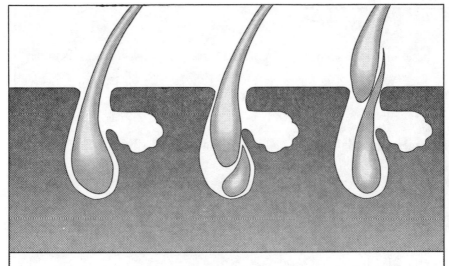

LE CYCLE VITAL DES CHEVEUX

1 - En phase de croissance, la racine remplit le sac folliculaire, jusqu'à sa base.
2 - La racine remonte, elle laisse sa place à une nouvelle venue, la relève est assurée.
3 - La jeune racine déloge le cheveu mort, qui tombe pour laisser vivre le suivant.

laquelle la pousse de la tige est continue et régulière.

• Puis arrive la *phase catagène,* ou phase de régression. L'activité des cellules matricielles s'interrompt pour une courte période de 15 à 20 jours, la pousse est arrêtée.

• Enfin vient la *phase télogène,* celle du repos. Elle se déroule sur 3 à 4 mois. Ici le cheveu va tomber pour laisser place au suivant.

Tous les cheveux ne sont pas dans la même phase, au même moment, chaque follicule pileux travaillant en solo, indépendamment de son voisin. Cela permet à nos chevelures de se renouveler en douceur et d'éviter la « mue », comme certains animaux qui perdent toute leur fourrure en même temps. Sur une chevelure saine : 85 à 90 % des cheveux sont en phase de croissance, 1 à 2 % en phase de repos, 10 à 15 % en phase de chute.

Phases	% de cheveux	Durée	Homme	Femme
Anagène	85 à 90 %	± 4 ans	2/4 ans	4/7 ans
Catagène	1 à 2 %	± 20 jours		
Télogène	10 à 15 %	3 à 4 mois		

il est normal
que les cheveux tombent

Il est donc normal que les cheveux télogènes tombent. Mais combien une chevelure saine peut-elle en perdre, naturellement, chaque jour ? Tout est une question de proportion par rapport à son abondance d'origine. Et, comme d'un individu à l'autre la densité des cheveux peut varier de 200 à 350 unités au centimètre carré, il est bien difficile d'établir des moyennes. Certains perdent 25 à 30 cheveux par jour, d'autres 60 à 70, ou même plus, sans que cette perte ait quoi que ce soit d'anormal. Tant que les cheveux qui tombent sont remplacés par des repousses, égales en vigueur et en quantité, il n'y a pas lieu de s'inquiéter.

En revanche, pour ceux qui ont déjà perdu la moitié de leur chevelure, une perte quotidienne moyenne de 30 ou 40 cheveux reste pathologique, même si celle-ci se situait autour de 60 ou 80 au début du processus de chute anormale. L'évaluation de la perte est toujours fonction du nombre total de cheveux sur la tête.

Mais, attention, les cheveux ne tombent pas régulièrement, tous les jours, à la même cadence ! Exemple : lors du shampooing hebdomadaire, il tombe généralement plus de cheveux qu'au cours des autres jours de la semaine. Il s'agit là de cheveux télogènes, morts depuis plusieurs jours et qui auraient fini par tomber d'eux-mêmes. Les moyennes de chute doivent donc être calculées sur une semaine, au moins.

chutes saisonnières

Et puis, il faut également tenir compte des chutes saisonnières, au printemps et, surtout, à l'automne. Deux périodes, où la perte des cheveux peut parfois doubler, voire tripler, pendant plusieurs semaines consécutives.

Cette chute saisonnière est physiologique, elle correspond à une plus grande sécrétion des hormones sexuelles, lesquelles influencent et accélèrent le cycle vital des cheveux et sont en partie dépendantes des durées d'exposition solaire. Là encore, il n'y a pas lieu de s'inquiéter : le cycle de renouvellement reprend son rythme normal, après quelque temps, et les repousses sont aussi nombreuses que les cheveux perdus. Néanmoins, si la chute se prolonge **au-delà de 6 ou 8 semaines**, c'est le signe qu'un autre facteur est en cause et qu'il faut en rechercher l'origine.

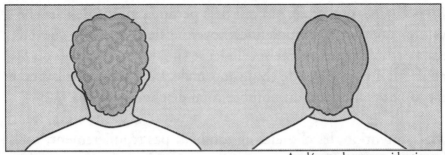

Au départ : longueurs identiques

Après 4 ans : 33 cm de différence

HOMME	FEMME
au départ = 3 cm à la nuque	au départ = 3 cm à la nuque
cycle vital = 2 ans	cycle vital = 4 ans
pousse = 1 cm par mois	pousse = 1,2 cm par mois
longueur maximale : 2 × 12 = 24 cm	longueur maximale : 4 × 14, 4 = 57 cm
après 4 ans = 27 cm à la nuque	après 4 ans = 60 cm à la nuque

longueurs variables

Comme pour la chute normale des cheveux, il est très difficile d'établir des moyennes de longueurs maximales, celles-ci variant suivant deux paramètres : la vitesse de pousse, qui peut, selon les individus, se situer entre 1 cm et 1,5 cm par mois, et la durée de la phase anagène. L'exemple ci-contre illustre la diversité des performances possibles. Pour cet homme et pour cette femme, les longueurs sont identiques au départ : 3 cm à la nuque (croquis du haut). Pendant 4 ans, leurs cheveux ne vont pas être coupés. Au terme de cette période, les longueurs seront de 27 cm pour l'un et de 60 cm pour l'autre (croquis du bas). Le fait que l'un des deux protagonistes ait une chevelure frisée renforce le contraste.

variations ethniques

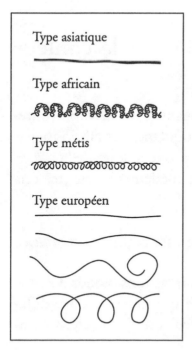

Type asiatique

Type africain

Type métis

Type européen

D'où viennent les différences entre cheveux de types asiatique, africain ou européen ? de la forme du cheveu, vu en coupe, et de son implantation dans le cuir chevelu. Deux facteurs qui déterminent tout, ou presque : aspect, épaisseur, quantité, solidité, vitesse de pousse, longueur.

Les Asiatiques sont dotés d'une tige large et ronde, la racine est profondément implantée, à 7 mm du cuir chevelu : ils auront les cheveux les plus raides et les plus longs, les plus gros également et les plus solides. Leur chevelure d'adulte, non coupée, peut dépasser facilement 1 m. Ce sont d'ailleurs les plus grands fournisseurs de perruques en cheveux naturels, pour le reste du monde.

Pour les cheveux de type africain, l'implantation est superficielle (2,5 mm), la tige est ovale, aplatie, et présente une torsion en forme d'hélice : leurs cheveux sont fins et vrillés, plus fragiles. La pousse est plus lente et la longueur maximale moindre.

Entre les deux, les cheveux de type européen, plus ou moins ronds et aplatis, donnent naissance à une multitude de variétés : chevelures raides, ondulées, bouclées ou frisées, tiges fines ou épaisses. Le record de finesse est détenu par des Allemands du Nord, ceux des îles Frisons.

la couleur

La couleur des cheveux dépend de la quantité de *mélanine* contenue dans la kératine. Déterminée génétiquement et fabriquée par les cellules du bulbe, la mélanine se propage le long de la tige et colore tout le cheveu. Elle peut être totalement absente, cela donne les cheveux *albinos*.

Deux types de pigments sont en cause : les pigments *granuleux*, bruns à noirs, qui régissent les tons foncés ou « rougeâtres », et les pigments *diffus*, jaunes à brun clair, pour les tons blonds. C'est le mélange des deux sortes de pigments qui détermine les différentes couleurs naturelles et explique leur infinie variété, y compris les teintes rousses.

autres propriétés
des cheveux

● **Élasticité.** Si l'on tire sur un cheveu sec, il s'allonge de 20 à 30 %, lorsqu'on le relâche, il reprend sa forme. Mouillé, l'allongement possible est de 100 %.

● **Solidité.** Pour rompre un cheveu sain et naturel, la charge nécessaire varie de 60 à 100g. Une chevelure de 100 000 cheveux peut donc théoriquement soutenir de 600 à 1 000 kg.

● **Pouvoir hydrophile.** Les cheveux sont très sensibles à l'eau, ils gonflent en absorbant l'humidité de l'air et leur diamètre peut augmenter de 10 à 15 %.

● **Électricité.** Elle est fonction de l'hydratation. Pour le malheur des coiffeurs, les cheveux secs s'électrisent facilement.

● **Résistance aux agents biologiques.** Elle est légendaire. Une tige pilaire résiste au moins dix ans à la putréfaction. Pour le bonheur des médecins légistes.

● **Résistance aux agents chimiques.** Les liquides alcalins et les oxydants diminuent la cohésion et la résistance des tiges pilaires. Ceci explique leur détérioration, après manipulations chimiques successives. Les cheveux résistent mieux à l'action des acides.

3. pourquoi perd-on ses cheveux ?

De multiples raisons peuvent être à l'origine d'un dérèglement du cycle vital des cheveux et entraîner leur chute. Aussi est-il impossible de parler de la cause, mieux vaut parler « des » causes de chute. Certaines sont constitutionnelles et font partie intégrante de notre individu, d'autres surviennent de l'extérieur, au hasard des circonstances particulières de notre vie :

- une prédisposition génétique aux dérèglements hormonaux
- un état de stress permanent
- un traumatisme psychique grave
- la prise de certains médicaments
- des maladies infectieuses, une forte fièvre
- des problèmes dentaires
- des régimes alimentaires mal équilibrés
- des carences pathologiques
- certains types de coiffure
- un excès de soleil
- certaines maladies dermatologiques

Et pour les femmes :
- accouchement, fausse couche
- interruption de grossesse, volontaire *(IVG)* ou médicale *(IMG)*
- période de préménopause

le rôle
des hormones

La croyance populaire attribue aux hormones – « aux glandes », selon le terme consacré – toutes sortes de maux, dont elle ignore l'origine et dont les manifestations lui semblent aussi sournoises qu'incontrôlables. Pourtant, le rôle essentiel que certaines *glandes endocrines** exercent sur le cycle vital des cheveux reste encore mal connu.

Peu de gens savent en effet que plus de 90 % des problèmes de chute sont liés à une réaction anormale des cheveux aux *androgènes,* les hormones sexuelles mâles. Celles-ci sont sécrétées par les testicules chez l'homme, par les ovaires chez la femme, et par les *glandes surrénales* dans les deux cas (cf. chapitres 11, 12 et 13).

---

* Glandes dont la sécrétion est interne et se déverse dans le sang, par opposition aux *glandes exocrines,* dont la sécrétion se libère dans une cavité naturelle de l'organisme ou à l'extérieur (les larmes, par exemple).

le stress

Le cuir chevelu est également un lieu privilégié pour les affections d'origine psychologique, et les troubles du psychisme comptent, eux aussi, parmi les facteurs qui peuvent influencer le plus la chute des cheveux (cf. chapitres 15 à 18).

facteurs déclencheurs
et facteurs aggravants

Toute influence négative, quelle qu'elle soit, peut agir seule et être à l'origine d'une perte anormale des cheveux. Elle peut aussi venir renforcer une chute déjà installée, dont seraient responsables d'autres facteurs influents qui l'auraient précédée dans le temps. Un stress important, par exemple, peut venir sensiblement augmenter une chute d'origine hormonale. Au diagnostic, le dermatologue ou le spécialiste capillaire devront s'efforcer d'établir une distinction entre facteurs déclencheurs et facteurs aggravants, pour mieux adapter le traitement qu'ils seront amenés à proposer.

la notion
de prédisposition

Les raisons qui déterminent une chute des cheveux peuvent en fait se présenter de façon extrêmement complexe. Pourquoi, par exemple, la plupart des femmes ont-elles des enfants sans qu'il y ait la moindre répercussion sur leur chevelure, alors que d'autres femmes sont susceptibles de perdre jusqu'à 20 ou 30 % de leur cheveux après un accouchement ? Et pourquoi cette perte occasionnelle, réputée réversible, ne l'est-elle pas toujours ? Pourquoi, dans certains cas, celle-ci peut-elle continuer et se transformer en chute chronique, comme si la maternité n'avait fait que révéler une sorte de prédisposition héréditaire aux troubles capillaires ?

Il semblerait que cette prédisposition plus ou moins grande du cuir chevelu soit inscrite dans le programme génétique de chacun et qu'elle joue un rôle capital dans le déclenchement ou l'aggravation de la plupart des chutes de cheveux.

le gène
en question

Mais il ne suffit pas de parler de prédisposition génétique pour que l'affaire soit classée. Une question suit immédiatement, elle est évidente : quel est le gène responsable ? Personne ne peut encore répondre, malgré les progrès accélérés de la génétique moderne, y compris dans ce domaine. Et si plusieurs équipes de par le monde travaillent activement au problème, aucune recherche jusqu'ici n'a su isoler le gène fautif, celui qui provoque et entretient la perte anormale des cheveux.

Pourtant, les chercheurs ne sont peut-être pas très loin du but. Témoin, une expérience récente, conduite par le Dr Robert Hoffmann et des biologistes californiens de San Diego. Ceux-ci ont cherché à vérifier s'il était possible de transférer des gènes actifs dans les follicules pileux. Par l'intermédiaire de microsubstances graisseuses, appelées *liposomes*, ils ont ainsi injecté à des souris blanches des gènes de mélanine. Ces gènes, s'ils fonctionnaient, devaient modifier la couleur des pelages et leur conférer une teinte bleue, celle d'un gène marqueur artificiellement transmis. L'opération a réussi : après quelques jours, les souris sont effectivement devenues bleues. Ceci pourrait déboucher, d'ici quelques années, sur la commercialisation de produits susceptibles de changer la couleur des cheveux humains, les cheveux blancs indésirables étant, gageons-le, les premiers concernés.

Si cette expérience précise ne concerne que les problèmes de la couleur des cheveux, et non pas ceux de la calvitie, elle prouve au moins une chose : il est possible de transmettre des gènes actifs aux follicules pileux pour en modifier le fonctionnement.

Conclusion : lorsque le gène responsable de la croissance des cheveux aura été isolé, on devrait, un jour, pouvoir le transmettre artificiellement aux chevelures déficientes. C'est en tout cas ce que croit R. Hoffmann. Son expérience marque une étape importante dans l'éventuelle thérapie de la calvitie par la génétique.

alopécie
et calvitie

Alopécie est le terme médical pour décrire le processus au cours duquel, le cycle vital des cheveux étant déréglé, ceux-ci se mettent à tomber, sans repousser normalement. À ne pas confondre avec le terme calvitie, qui signifie : absence totale de cheveux sur une zone plus ou moins étendue du cuir chevelu.

importance des trois
fonctions vitales

Quelles que soient les causes de chute en amont, celles-ci se tra-
duisent toujours sur le plan local par un déséquilibre de l'une ou
de plusieurs des trois fonctions que nous avons identifiées comme
les fonctions vitales du cheveu : la circulation sanguine, la sécrétion de sébum et l'élimination des toxines…

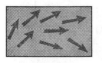 **La circulation.** Le sang contient les éléments
vitaux qui permettent aux cellules du follicule
pileux de se renouveler. C'est lui qui transporte,
jusqu'à la racine des cheveux, toutes les substances – vitamines,
sel minéraux, oligo-éléments – dont ceux-ci ont besoin pour
croître normalement (fig. 1, p. 43).

L'apport se fait par l'intermédiaire des vaisseaux capillaires, dont
le cuir chevelu est si largement pourvu. Qui s'est déjà blessé à la
tête sait quelle quantité de sang on peut perdre par une simple
entaille. Mais, s'ils sont nombreux, ces vaisseaux sont aussi particulièrement étroits et donc fragiles. Lorsqu'ils sont obstrués, ou
compressés par des microtensions musculaires dûes au stress, ils
empêchent le sang d'irriguer correctement la papille. Alors, la
racine s'atrophie, le cheveu dépérit et s'affine, puis cesse de se
renouveler (fig. 2, p. 43).

La fonction circulation est donc double : elle doit apporter un sang riche en éléments essentiels pour permettre la croissance normale du cheveu, elle doit pouvoir le faire au travers de «voies» saines et bien dégagées.

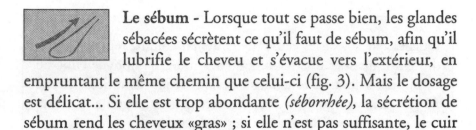 **Le sébum** - Lorsque tout se passe bien, les glandes sébacées sécrètent ce qu'il faut de sébum, afin qu'il lubrifie le cheveu et s'évacue vers l'extérieur, en empruntant le même chemin que celui-ci (fig. 3). Mais le dosage est délicat... Si elle est trop abondante *(séborrhée)*, la sécrétion de sébum rend les cheveux «gras» ; si elle n'est pas suffisante, le cuir chevelu est trop sec, plus fragile.

De plus, quelle que soit la quantité de sébum sécrétée, si celui-ci est trop chargé en toxines, il s'évacue mal (fig. 4), il se dépose à la base du follicule pileux, fait écran à la circulation du sang et développe une enzyme qui bloque le système de renouvellement du cheveu.

L'élimination - C'est le processus qui permet d'évacuer les toxines par la peau et le cuir chevelu, et assure aux cheveux un milieu de croissance favorable (fig. 5). Une mauvaise élimination entraîne un épaississement du cuir chevelu et la production de nouvelles toxines, de plus en plus difficiles à évacuer (fig.6). Les cheveux deviennent moins beaux, et perdent leur résistance. Pellicules et démangeaisons risquent d'apparaître. A terme, cela peut entraîner une chute de cheveux

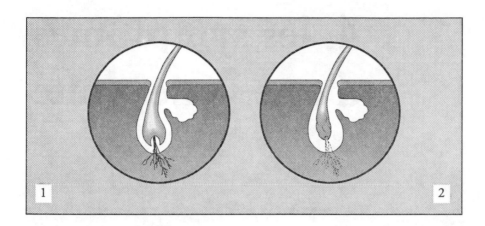

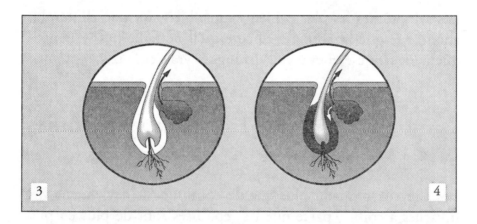

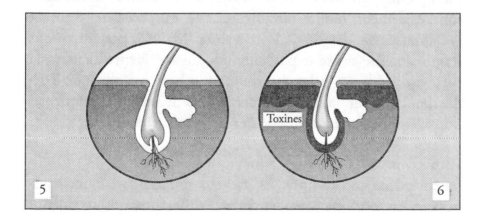

4. les symptômes d'une vraie chute

Les symptômes les plus évidents sont, bien sûr, une chute plus abondante que la normale. Encore qu'il ne faille pas systématiquement s'inquiéter et savoir distinguer vrais et faux symptômes.

vrais symptômes

Les cheveux tombent plus que de coutume, ils deviennent vite difficiles à coiffer, parce que les repousses sont de plus en plus fines par rapport aux cheveux qu'elles remplacent. Souvent, elles sont également moins nombreuses, ce qui accélère d'autant l'éclaircissement rapide de la chevelure. Mais les manifestations d'une alopécie ne sont pas toujours aussi évidentes. Parfois la perte est insidieuse et les cheveux ne tombent pas plus que d'ordinaire. Pourtant, la chevelure perd peu à peu de son volume, les nouvelles pousses étant inférieures en quantité et qualité.

Pour savoir si les cheveux s'affinent, il y a un test facile à exécuter soi-même : on récupère les cheveux tombés, lors d'un shampooing, ou bien l'on passe ses mains à différents endroits du cuir chevelu, pour recueillir quelques cheveux. On dépose ces cheveux sur une surface de couleur contrastée, puis on examine s'ils sont tous de même calibre, ou si certains sont de diamètre plus fin. Avec une loupe, c'est très facile à voir.

présymptômes

Souvent, avant qu'une alopécie ne se déclare vraiment, il y a des présymptômes qui devancent la perte des cheveux. Il faut savoir les repérer, car ils dénotent une perturbation dans l'équilibre des trois fonctions vitales et peuvent se présenter comme signes avant-coureurs d'une alopécie progressive.

- Les cheveux ternissent, ils perdent leur éclat
- Leur couleur devient plus fade
- Ils sont mous et sans ressort
- Des pellicules, parfois des démangeaisons, s'installent
- Les cheveux deviennent très gras
- Ils sont douloureux quand on les bouge
- Le cuir chevelu est épais
- Le cuir chevelu est bloqué

Inutile de décrire ces symptômes un à un, excepté pour les deux derniers, ils sont faciles à identifier lorsqu'ils surviennent. Si l'un ou plusieurs d'entre eux persistent, **au-delà de 3 ou 4 mois**, cela signifie que le cycle vital des cheveux est en train de se dérégler. Il faut alors réagir et consulter un spécialiste. Plus l'on agit tôt, plus il est facile de renverser le processus et d'en prévenir la phase finale, celle de la chute.

Cuir chevelu épais ou bloqué. Lorsque l'on palpe le cuir chevelu d'un bébé, on le sent parfaitement mobile : il se décolle facilement de l'ossature crânienne et l'on peut sans difficulté en saisir la peau entre deux doigts, quel que soit l'endroit où on le caresse. Avec l'âge, cette même peau a tendance à se transformer en une sorte de cuir – d'où son nom, sans doute – plus épais et plus rigide, tout en adhérant davantage au crâne.

Chez les adultes dont les cheveux sont en bonne santé, cette sclérose progressive et normale, due au vieillissement des cellules, reste néanmoins limitée : leur cuir chevelu garde une certaine souplesse et l'on peut le pincer avec les doigts ou le faire glisser le long de la tête. Chez d'autres, au contraire, la peau ayant perdu toute mobilité, il devient très difficile de la faire bouger sur le dessus de la tête. Le phénomène est souvent lié à un problème de mauvaise irrigation, il signifie que les échanges sanguins et l'évacuation des toxines se font mal, ce qui diminue les défenses du cuir chevelu et peut favoriser la perte des cheveux.

Deux tests, faciles à réaliser, permettent de voir si le cuir chevelu est trop épais ou bloqué. Pour le premier test, pincer la peau du crâne entre le pouce et l'index et à deux endroits différents : au-dessus des oreilles, là où le cuir chevelu est le plus souple, et sur le dessus de la tête, là où il l'est généralement le moins. Pour le deuxième test, prendre les mêmes zones, mais cette fois-ci, avec les doigts en éventail, faire glisser la peau le long de l'os crânien.

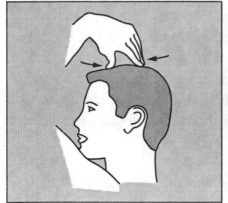 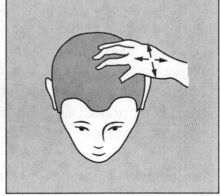

Test 1 : cuir chevelu épais

Test 2 : cuir chevelu bloqué

faux symptômes

Des cheveux qui tombent plus que d'habitude ne sont heureusement pas toujours le signe d'une chute pathologique. Certaines pertes, même très abondantes, peuvent être liées à différents phénomènes dont il n'y a pas lieu de s'inquiéter.

Phénomènes saisonniers
Ils interviennent au printemps ou à l'automne et peuvent donner lieu à des chutes importantes, sans conséquences (cf. p. 31).

Chevelures très grasses
Quand les repousses sont toujours identiques aux cheveux tombés, on peut traiter une trop grande sécrétion de sébum pour des

raisons de confort et d'esthétique, mais il est inutile d'entreprendre des soins contre une chute éventuelle de cheveux.

Chute et âge

La chute se traduit par une diminution banale et très modérée de l'abondance de la chevelure. Elle peut commencer vers 40 ans et ne doit pas aboutir à une perte de plus de 20 % des cheveux, à un âge avancé. Elle est due à un déclin très progressif de l'activité cellulaire de certains follicules pileux et de leur papille, déclin qui ralentit la fabrication de la kératine, jusqu'à ce que ces follicules ne produisent plus de cheveux.

Manipulations cosmétiques et cassures de cheveux

Des manipulations cosmétiques mal exécutées ou trop souvent répétées – colorations, permanentes ou défrisages – provoquent parfois des altérations graves de la chevelure. Celles-ci peuvent se solder par des cassures de cheveux à toutes les longueurs, y compris au ras du cuir chevelu. Mais la chevelure reprendra la densité qu'elle avait auparavant, lorsque les nouveaux cheveux auront entièrement remplacé les cheveux altérés. Les manipulations cosmétiques peuvent fragiliser les cheveux, elles ne peuvent pas jouer sur leur cycle de renouvellement. Il ne faut pas confondre cassures et chute pathologique (cf. chapitres 24 et 25).

Accélération temporaire du cycle vital

C'est une forme rare et très particulière de chute chez la femme. Elle intervient à l'âge de 30 ou 40 ans, peut se prolonger pendant toute une année et revenir tous les 10 ou 15 ans. Pendant la période de chute, la perte des cheveux est constante, diffuse et sensiblement plus importante que d'habitude. Pourtant, à l'examen du cuir chevelu, les repousses remplacent les cheveux tombés à l'identique. Ce phénomène, dû à une accélération temporaire du cycle vital de certains cheveux, reste inexpliqué.

5. le diagnostic

Avant d'entreprendre tout traitement contre une chute de cheveux, il faut savoir quelle est l'origine du dérèglement. Une évidence que l'on ignore encore souvent en répétant indéfiniment le même scénario : on entend parler d'un traitement, on l'essaye, pour voir... La plupart du temps, les résultats s'avèrent décevants, et le produit est rangé dans la pharmacie, en attendant qu'un autre ne vienne le rejoindre.

une étape obligatoire

Ce traitement précis était-il mauvais ? pas forcément. Il pouvait tout simplement ne pas être adapté au problème spécifique à résoudre. D'où l'importance d'un diagnostic personnalisé, réalisé par un spécialiste du cuir chevelu. Le diagnostic, tel qu'il est pratiqué à notre centre, représente la phase initiale de la méthode que nous avons mise au point. C'est une étape obligatoire : aucun soin n'est donné, pas un produit n'est recommandé, sans une étude préalable du cuir chevelu et des raisons particulières qui en ont troublé le fonctionnement.

Ce diagnostic se fait au cours d'un premier rendez-vous dont la durée varie de 30 à 45 minutes. Il se déroule en trois phases : l'interview de la personne concernée, l'examen de sa chevelure et de son cuir chevelu, l'analyse au microscope de quelques cheveux.

l'interview

Nous procédons d'abord à une interview approfondie. Nous posons plusieurs séries de questions sur la chute des cheveux elle-même, mais aussi sur le mode de vie et l'état de santé général du consultant.

Car nos cheveux, certains l'oublient souvent, ne fonctionnent pas comme des éléments extérieurs au reste de notre organisme. Ils en sont le reflet au contraire, souvent même les victimes. On dit même que le cuir chevelu, encore plus que la peau, joue un rôle de « poubelle », où vient s'accumuler tout ce que notre corps rejette. C'est pourquoi il est important de toujours replacer les cheveux et leurs problèmes spécifiques dans l'ensemble dont ils font partie. Pour mieux comprendre comment les soigner.

● **La chute.** Quand a-t-elle débuté ? Quelle a été son évolution ? Est-elle continue, ou intervient-elle par à-coups successifs ? Pendant le shampooing ? Aux changements de saison ? À l'occasion de fatigues particulières ? Pour les femmes, la perte est-elle plus abondante au moment des règles ? Des traitements ont-ils déjà été pratiqués ? Si oui, quels en ont été les résultats ?

● **Les antécédents familiaux.** Quels-sont-ils ? Du côté du père, mais également de la mère. Très souvent, surtout lorsqu'il s'agit d'une calvitie naissante chez un homme très jeune, le père, les grands-pères ou les oncles ont été chauves tôt, et l'on est presque sûr que la calvitie va s'installer ici de la même façon, si rien n'est entrepris. C'est dire combien l'influence génétique est prédominante en la matière. Mais, comme tout facteur héréditaire, c'est une influence capricieuse : elle saute parfois une génération, elle peut ne toucher que quelques personnes au sein d'une famille de chevelus, comme elle peut jouer le rôle inverse, en épargnant un membre d'une famille de chauves.

● **Le stress.** Une autre indication précieuse pour notre recherche. Après le facteur héréditaire, la tension nerveuse est l'une des causes qui interviennent le plus fréquemment dans les chutes de cheveux que nous traitons, tant chez les hommes que chez les femmes. Le consultant traverse-t-il des difficultés d'ordre professionnel ou personnel ? A-t-il subi un choc émotionnel récent ? Un accident ? Une opération avec anesthésie générale ? Vit-il dans un état de stress permanent ? Est-il déprimé ?

● **Les carences.** Elles peuvent, elles aussi, être source d'un déséquilibre du cycle vital des cheveux. Comme toute autre partie de notre corps, la chevelure est un organisme vivant qui a besoin de certaines substances pour croître et se développer normalement. Le consultant suit-il un régime amaigrissant ? Depuis combien de temps ? Comment se nourrit-il ?

● **Les antécédents médicaux.** Ils représentent une autre piste que nous passons rapidement en revue lors de notre interview. Maladies infectieuses avec forte fièvre, infections dentaires, angines ou sinusites chroniques sont autant de problèmes qu'il faut connaître, s'ils sont intervenus dans le passé récent du consultant. Des questions réservées aux femmes complètent cette investigation : grossesses, IVG et IMG, fausses couches, prise de pilule ou traitements hormonaux, rien ne doit être négligé pour rechercher les causes qui ont pu déclencher le processus de chute.

La liste des médicaments ou traitements médicaux en cours sont également un point sur lequel nous demandons des précisions : certaines substances peuvent être toxiques pour les cheveux et déclencher un dérèglement de leur cycle vital.

• **Les traitements cosmétiques.** Quels types de shampooings sont utilisés ? À quelle fréquence se font les permanentes, couleurs ou défrisages, quand il y en a ? Tous ces points, s'ils ne sont pas directement à l'origine d'une chute, peuvent favoriser la détérioration progressive d'une chevelure.

l'examen de la chevelure

• **Le test de la traction.** L'expert passe plusieurs fois ses mains de l'avant vers l'arrière et à différents endroits du cuir chevelu. Il retire ainsi les cheveux télogènes, ceux qui viennent tout seuls, parce qu'ils étaient morts et près de tomber. Lorsque l'on fait cette expérience sur une chevelure saine, on ne recueille que trois ou quatre cheveux. Le test de la traction fournit donc une indication sur l'importance de la chute.

• **L'examen du cuir chevelu.** L'expert palpe ensuite doucement le cuir chevelu du consultant afin d'en apprécier la souplesse. Il opère d'abord de légers pincements sur les côtés et sur le dessus de la tête, il fait ensuite glisser lentement la peau du cuir chevelu le long du crâne. Deux séries de gestes qui nous aident à évaluer les zones d'épaississement ou de blocage et nous renseignent sur la manière dont fonctionnent la circulation, la sécrétion de sébum et l'élimination des toxines. Cet examen permet également de repérer les follicules sains, ceux qui sont déjà morts, ceux qui sont affaiblis et ne produisent plus que de fines repousses.

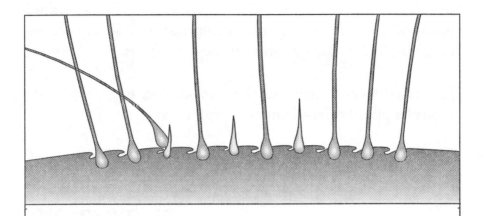

CUIR CHEVELU SAIN – Les 10 follicules sont occupés : 7 par des cheveux adultes, 2 par de jeunes cheveux, 1 par un cheveu en phase de chute et dont la repousse est là.

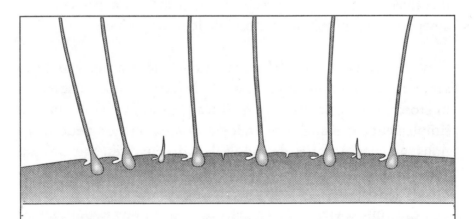

ALOPÉCIE ENGAGÉE – Sur les 10 follicules : 2 sont inoccupés et en train de mourir, 2 autres sont occupés par de jeunes cheveux trop faibles.

Dans de nombreux cas, surtout lorsqu'il s'agit de chute d'origine hormonale sévère, notre expérience montre que les trois fonctions du cycle vital se sont déréglées selon un engrenage qui varie peu : un trop-plein de toxines en provenance des glandes sébacées s'amasse à la base de la racine et vient épaissir le cuir chevelu, au lieu de s'évacuer en surface. Cet engorgement a lieu à l'endroit précis où le cheveu se régénère, comprimant ainsi les vaisseaux sanguins, bridant l'irrigation normale des cellules.

Les troubles de la circulation entraînent alors une atrophie des follicules pileux et leur fermeture progressive.

l'analyse
au microscope

Cet examen vient en complément des précédents, il permet d'évaluer de façon plus précise l'état d'altération des cheveux, ainsi que l'état physique et moral de leur propriétaire.

Tout ce que nous a confié notre interlocuteur au niveau de sa santé, nous en retrouvons les traces à la lecture de son cheveu au microscope. Bien souvent, ce qu'il n'a pas dit, par oubli, ou tout simplement parce qu'il n'en avait pas pris conscience, peut même nous amener à faire de nouvelles découvertes. Sait-on par exemple que l'examen de la racine et de la kératine permet d'apprécier la résistance au stress, de découvrir une fatigue nerveuse, une difficulté à vivre ? Si les personnes que nous examinons ne nous en ont pas parlé lors de notre conversation préalable, leurs cheveux, eux, parlent à leur place.

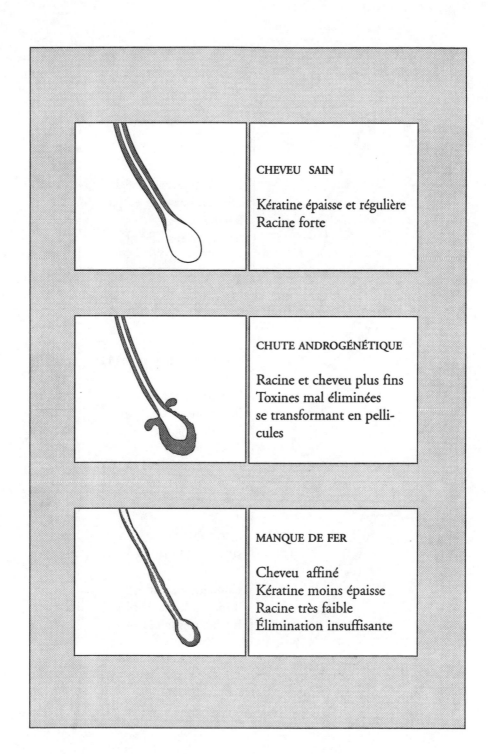

CHEVEU SAIN

Kératine épaisse et régulière
Racine forte

CHUTE ANDROGÉNÉTIQUE

Racine et cheveu plus fins
Toxines mal éliminées
se transformant en pelli-
cules

MANQUE DE FER

Cheveu affiné
Kératine moins épaisse
Racine très faible
Élimination insuffisante

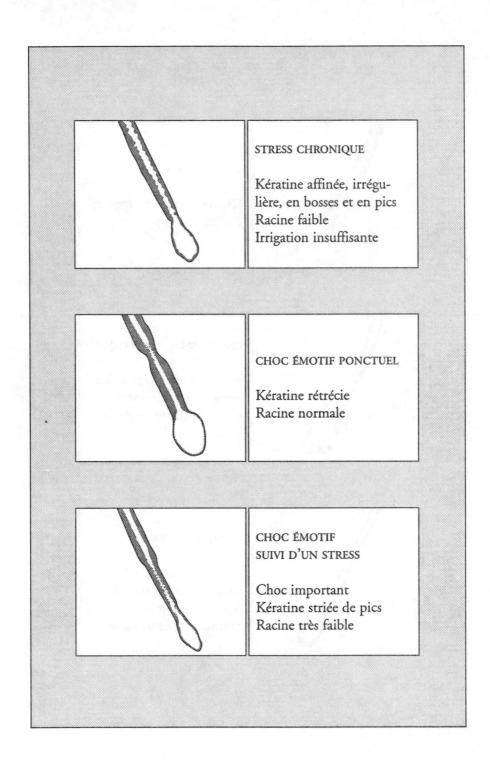

STRESS CHRONIQUE

Kératine affinée, irrégu-
lière, en bosses et en pics
Racine faible
Irrigation insuffisante

CHOC ÉMOTIF PONCTUEL

Kératine rétrécie
Racine normale

**CHOC ÉMOTIF
SUIVI D'UN STRESS**

Choc important
Kératine striée de pics
Racine très faible

autres moyens
de contrôle des alopécies

Les dermatologues peuvent pratiquer d'autres examens, pour quantifier la sévérité d'une alopécie ou contrôler l'efficacité d'un traitement en cours.

Le principe général des deux premiers examens est de déterminer le pourcentage des cheveux en phase de croissance (anagène), par rapport aux cheveux près de tomber (télogène). Sur une chevelure saine, la proportion se situe autour de 85 % pour les premiers et de 15 % pour les seconds. Plus la chute est aiguë, plus ce rapport se modifie au bénéfice des cheveux télogènes.

1. Le trichogramme. On arrache avec une pince une petite touffe d'une cinquantaine de cheveux, dans le sens de leur pousse. L'opération est répétée à trois endroits différents : le sommet de la tête, les tempes et les côtés. Elle doit être exécutée sur une chevelure qui n'a été ni lavée ni brossée depuis 4 jours, sinon les cheveux télogènes sont en partie tombés pendant le shampooing ou le coiffage, et les résultats sont faussés. L'étude des racines au microscope montre ensuite celles qui correspondent à des cheveux anagènes et celles des cheveux télogènes. L'examen permet également de distinguer les racines normales des racines dystrophiques (plus spécifiques de certaines alopécies comme la pelade).

2. Le phototrichogramme. L'opération s'effectue sur une surface du cuir chevelu de 0,5 cm². La surface est rasée, puis photographiée à deux moments différents : immédiatement après rasage et 3 jours plus tard. À la macrophotographie on voit alors facilement que les cheveux anagènes ont poussé d'1 mm environ, tandis que les cheveux télogènes, dont la croissance est arrêtée, ne présentent aucune repousse.

3. L'analyse minérale des cheveux. Le principe n'est pas nouveau, mais sa technique s'est considérablement améliorée. Au siècle dernier déjà, la police recherchait des traces d'arsenic dans les cheveux de certaines victimes, quand elle soupçonnait une mort par empoisonnement.

Aujourd'hui qu'apporte une analyse minérale des cheveux ? Grâce à des appareils ultraperfectionnés, l'examen permet d'identifier certaines carences nutritionnelles ou, au contraire, des excès en minéraux lourds, responsables d'intoxications progressives de l'organisme tout entier. Les protéines, entrant dans la structure de la kératine, proviennent en effet du flux circulatoire, lequel véhicule tout ce que le sang peut contenir en substances toxiques : médicaments, stupéfiants, nicotine, etc. Leur consommation régulière va donc s'accompagner d'une trame protéique dans les cheveux, qu'il est possible de déceler.

Appliquée aux traitements des alopécies, l'analyse minérale est aussi une source d'information intéressante pour déterminer les déséquilibres en sels minéraux, qui interviennent dans la composition de la kératine et empêchent le cheveu de croître normalement.

Mais, attention : les résultats sont à prendre avec beaucoup de précautions, parce que la composition du cheveu ne reflète pas toujours la composition sanguine.

L'opération consiste à prélever un échantillon de quelques cheveux, au niveau de la nuque, là où leur vitalité n'est pas influencée par un problème de dérèglement hormonal. Les cheveux sont ensuite expédiés, sous enveloppe, à un laboratoire spécialisé qui va les analyser. La pousse des cheveux étant environ de 1 cm par mois, il est ainsi possible de connaître le passé nutritionnel d'une personne donnée. Cette analyse se fait généralement en complément d'un examen sanguin, lequel n'apporte que des informations très récentes à ce sujet.

Deux précautions à prendre : l'analyse doit porter sur les trois derniers centimètres de pousse, c'est-à-dire la partie du cheveu située près de la racine. D'autre part, l'opération ne devra se faire que sur des cheveux naturels (ni permanentés, ni défrisés, ni décolorés), de manière que les produits chimiques utilisés pour ces manipulations ne faussent pas les résultats.

6. traiter la chute

Chaque cas est particulier et doit être soigné comme tel, si l'on veut obtenir des résultats positifs et surtout durables. Il n'existe pas la panacée qui puisse stabiliser tous les processus de chute. À problème unique, traitement unique.

une solution personnalisée

Le diagnostic nous a indiqué la façon dont les cheveux d'un individu répondent aux agressions physiques et psychologiques qui forment la trame spécifique de sa vie. Or chacun réagit suivant la fragilité de son terrain, avec ses moyens organiques, selon son caractère et sa structure mentale. Tout ceci représente un tissu extrêmement complexe de paramètres, qu'aucun produit capillaire passe-partout ne saurait soigner efficacement. Savoir se repérer pas à pas dans ce puzzle d'interprétation, en reconstituer toutes les pièces et pouvoir, en connaissance de cause, proposer une solution personnalisée qui contrôlera cette chute-là, telle est la première condition de l'efficacité d'un traitement.

une participation active

La réussite de l'entreprise dépend aussi, pour une large part, de ce que les soins seront suivis sérieusement ou pas. Il est essentiel pour cela que la personne concernée comprenne bien ce que le traitement va lui apporter et qu'une véritable collaboration puisse s'établir entre elle et le spécialiste capillaire qu'elle consulte. Pour recueillir la participation active de son interlocuteur, le spécialiste devra expliquer clairement les raisons qui ont pu perturber le cycle vital des cheveux, les troubles qui en ont résulté et la manière dont il faut agir, étape par étape.

C'est pourquoi, au terme du diagnostic que nous pratiquons, chaque consultant est informé sur l'état actuel de ses cheveux et sur l'évolution vraisemblable de leur chute, si rien n'est entrepris. Une proposition de traitement strictement adapté à son problème personnel lui est faite, accompagnée des résultats précis qui vont être obtenus mois par mois. Des visites régulières de contrôle sont également proposées, elles permettent de vérifier les progrès obtenus et de faire évoluer le traitement, si besoin est.

champ d'action

Un traitement efficace nécessite parfois une double intervention. D'un côté, il faut réinstaller localement le cycle vital du cheveu et redonner de la vigueur aux repousses : c'est le domaine du spécialiste capillaire ; de l'autre, il faut soigner l'origine du mal en amont : c'est le rôle d'un médecin (généraliste, dermatologue, gynécologue, endocrinologue, psychothérapeute, suivant les cas).

Au Centre Clauderer nous définissons toujours notre champ d'action auprès de la personne qui nous consulte : notre travail se fait au niveau du cuir chevelu. Au-delà, nous n'agissons plus directement, nous suggérons une marche à suivre, de manière à rendre durables les résultats locaux.

Dans certains cas, comme une prise de médicaments toxiques pour les cheveux, les traitements locaux seront impuissants à rétablir le cycle vital, tant que la substance bloquante sera absorbée par l'organisme. Cependant, si nous soignons le terrain localement, la chute pourra être moindre.

Même pour les traitements anticancéreux qui provoquent une perte totale de la chevelure, il est important de soigner le cuir chevelu dès que les médicaments chimiothérapiques ont été complètement éliminés par l'organisme. Cela permet une remise en route plus rapide et sans problèmes des nouvelles repousses.

base de
toute approche

Que l'on confie son sort à un médecin dermatologue ou à un institut capillaire, les diverses approches pour enrayer une chute anormale de cheveux ont toutes un objectif commun : remettre en état de fonctionnement le renouvellement naturel des cheveux dont les follicules pileux sont encore vivants. Ceci, afin de prévenir la dégradation progressive des cheveux sains et de revitaliser ceux qui se sont déjà fragilisés. Autrement dit, tant que les follicules produisent des repousses, même affaiblies et fines, une action doit être entreprise : la racine n'étant pas morte, on peut toujours l'empêcher de s'atrophier définitivement, la raffermir et inverser le processus d'altération et de chute. C'est la base de tout traitement, seules les méthodes pour y parvenir diffèrent.

notre approche

Les trois fonctions vitales. Notre approche, elle, consiste à équilibrer et à stimuler localement les trois fonctions vitales du cheveu : circulation, sébum, élimination. Le sang, on le sait, nourrit la racine des cheveux, par l'intermédiaire de la papille. Si le flux sanguin est déficient en qualité comme en quantité (circulation), s'il est engorgé par une sécrétion sébacée trop abondante (sébum), ou bloqué par l'accumulation de toxines (mauvaise élimination), il ne peut plus alimenter les follicules pileux, lesquels se miniaturisent peu à peu, produisant des cheveux de plus en plus faibles, jusqu'à leur disparition totale.

Le traitement se fait par des massages du cuir chevelu et par l'application de produits, tous issus des biotechnologies, tous d'origine naturelle. C'est la synergie massages plus substances organiques, avec un diagnostic précis, qui rend la méthode efficace.

Les massages. Indispensables, ils préparent le cuir chevelu, le rendent réceptif aux produits. Mais attention : *masser* ne signifie pas *frotter*, les doigts ne doivent pas déraper le long de la peau, mais rester fixés sur l'endroit du crâne où ils sont posés. Le principe consiste à appuyer sur le cuir chevelu, en le faisant glisser le long du crâne, sans le frictionner. Pour avoir plus de force dans les mains, on peut poser ses coudes sur une table.

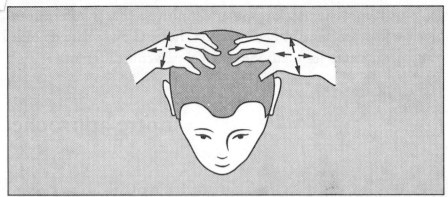

Appuyer sur le cuir chevelu en le faisant glisser le long du crâne

Produits. Équilibrants ou stimulants, les produits Clauderer anti-chute ne sont pas moins de 12 au total. Leur association permet de multiples combinaisons, proposées selon la nature du cuir chevelu, la nature de l'alopécie, la forme de la racine et les fonctions vitales perturbées.

Autre particularité : aucun de ces produits ne contient d'alcool. Notre expérience nous a montré que l'utilisation régulière de l'alcool pouvait présenter certains inconvénients, le plus banal étant une irritation du cuir chevelu et une modification de son pH. Pour obtenir un effet vasodilatateur et antiseptique équivalent à celui que produit l'alcool, nous préférons utiliser des huiles essentielles et certaines plantes dont l'action est encore plus efficace.

Fréquence. Ces soins se font à domicile, à raison d'une ou deux fois par semaine, avant le shampooing et sur cheveux secs, ils n'entraînent ni accoutumance ni effet secondaire. Le plus souvent, le premier traitement est pratiqué au Centre par un expert, pour expliquer au consultant les gestes simples qu'il devra répéter chez lui.

les mouvements préparatoires

Le but : détendre la nuque et décontracter l'ensemble du cuir chevelu. Le traitement capillaire est plus efficace, s'il est bien préparé par deux mouvements préliminaires de relaxation du crâne.

Décrire doucement avec la tête des cercles complets, dans un sens, puis dans l'autre (30 secondes).

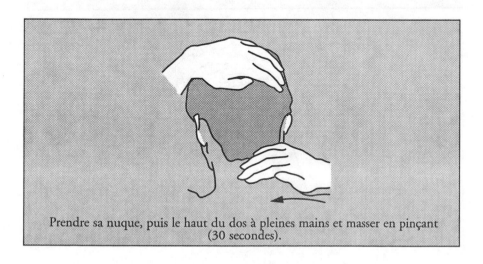

Prendre sa nuque, puis le haut du dos à pleines mains et masser en pinçant (30 secondes).

pour la circulation

Le but : favoriser l'irrigation des racines afin que les vaisseaux capillaires apportent aux cheveux tous les éléments nutritifs, nécessaires à leur croissance.

Les soins : massages en « rotation » du cuir chevelu, suivis de l'application d'un produit vasodilatateur, riche en vitamines, minéraux et oligo-éléments.

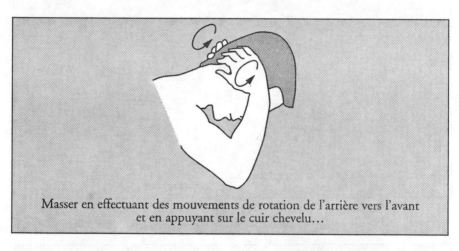

Masser en effectuant des mouvements de rotation de l'arrière vers l'avant et en appuyant sur le cuir chevelu...

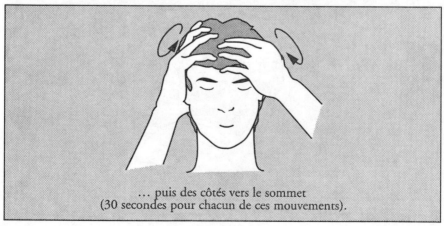

... puis des côtés vers le sommet
(30 secondes pour chacun de ces mouvements).

pour le sébum

Le but : équilibrer la sécrétion de sébum et favoriser son écoulement à l'extérieur du cuir chevelu, afin qu'il ne bloque pas les échanges.

Les soins : massages en « pincements » en pressant fortement le cuir chevelu, comme si on voulait en rapprocher les deux parties. Puis application d'un produit régulateur de la sécrétion.

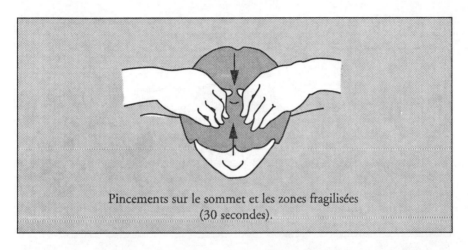

Pincements sur le sommet et les zones fragilisées
(30 secondes).

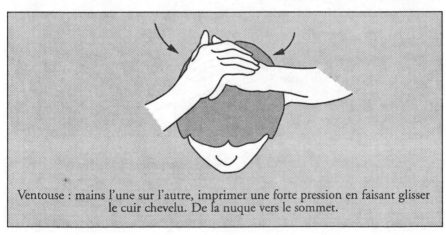

Ventouse : mains l'une sur l'autre, imprimer une forte pression en faisant glisser le cuir chevelu. De la nuque vers le sommet.

pour l'élimination

Le but : faciliter l'élimination des toxines qui épaississent le cuir chevelu et bloquent les échanges.

Les soins : massages en « va-et-vient », avec des serviettes chaudes, puis application d'un produit rééquilibrant, composé d'acides aminés soufrés, extraits de plantes ou d'algues. Le produit pénètre les follicules pileux, dégage les toxines et assainit le cuir chevelu.

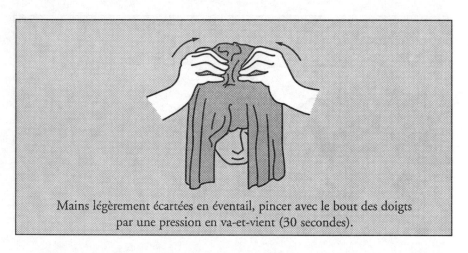

Mains légèrement écartées en éventail, pincer avec le bout des doigts par une pression en va-et-vient (30 secondes).

Ventouse : de la nuque vers le sommet. Répéter plusieurs fois le mouvement sur le sommet de la tête.

Troubles du flux sanguin

- déficient en qualité comme en quantité   ➤   fonction circulation
- engorgé par sécrétion sébacée   ➤   fonction sébum
- bloqué par accumulation de toxines   ➤   fonction élimination

▼

Risque de disparition du follicule

- atrophie progressive du follicule pileux et de la racine du cheveu
- repousses de plus en plus fines
- à terme : disparition du follicule et des repousses

▼

Équilibrer et stimuler les trois fonctions vitales

Synergie massages plus substances organiques

- mouvements préparatoires   ➤   relaxation cuir chevelu
- massage en rotation + 1 produit stimulant ➤ fonction circulation
- massage en pincements + 1 équilibrant ➤ fonction sébum
- massage en va-et-vient + 1 équilibrant ➤ fonction élimination

Compléments nutriments médicamenteux

Schéma de l'approche Clauderer pour le traitement des alopécies

conseils complémentaires

Aliments, nutriments. Pour renforcer l'équilibre des trois fonctions vitales, nous incitons toujours les personnes que nous traitons à mieux surveiller leur hygiène alimentaire et à privilégier dans leur nourriture quotidienne les éléments favorables au renouvellement du cheveu (cf. chapitre 7).

Dans certains cas, nous leur recommandons également de consulter leur médecin ou leur pharmacien afin de compléter l'action locale par la prise de certains *nutriments* médicamenteux. Ceux-ci aident à dynamiser la croissance des cheveux et sont sans danger pour le reste de l'organisme. Le plus souvent et selon la nature du cuir chevelu traité, nos conseils portent sur l'une des trois associations suivantes :

Méthionine + cystéine (acides aminés soufrés)
pour leur rôle important dans la nutrition des tissus capillaires et l'équilibrage des trois fonctions vitales (Lobamine-Cystéine)

Cystine + vitamine B 6
rôle similaire à l'association précédente et antiséborrhéique.

Vitamine B 5 + vitamine H (B 8)
pour activer l'ensemble du système capillaire, réguler la fonction sébum et prévenir l'atrophie des follicules pileux (association Bépanthène-Biotine : par voie intramusculaire, en traitement d'attaque, puis par voie buccale, en cure de consolidation et pendant 4 à 5 mois). Le traitement est exempt de réactions secondaires, il est renouvelable sans inconvénients.

Notre expérience nous a montré que ces différents nutriments ainsi regroupés étaient particulièrement adaptés aux problèmes de chutes de cheveux. Presque toujours, nous conseillons également un apport supplémentaire en zinc (oligo-élément faisant partie de la synthèse de la kératine) et en vitamine E (pour stimuler la circulation et l'oxygénation des vaisseaux capillaires). Parfois, le silicium et le sélénium font aussi partie de nos recommandations : ils sont antiséborrhéiques et améliorent la souplesse du cuir chevelu.

Analyses de sang. Lors de l'examen du cheveu au microscope, il nous arrive de repérer certaines anomalies qui laissent supposer soit un déséquilibre hormonal, soit une déficience en l'un ou plusieurs des trois minéraux indispensables à la vitalité du cheveu : fer, principalement, mais aussi calcium et magnésium. Nous demandons alors à notre interlocuteur de se faire établir par son médecin une prescription d'analyse, afin de vérifier le dosage des hormones concernées ou de la réserve ferrique, du magnésium intracellulaire et du calcium. Si nos hypothèses sont confirmées, le médecin conseillera les médicaments nécessaires.

autres méthodes
de soins

L'ozonothérapie. L'ozone est un gaz aux propriétés désinfectantes bien connues. Appliqué aux soins capillaires, il agirait comme combustible des toxines qui peuvent asphyxier le follicule pileux et empêcher le sang de circuler librement.

La mésothérapie. L'opération se fait à l'aide d'un petit appareil muni d'aiguilles courtes et très fines. Le principe consiste à injecter dans le derme des substances susceptibles de stimuler l'activité du follicule pileux. C'est l'association des vitamines B 5 et B 8 avec un vasodilatateur spécialement adapté qui donne les meilleurs résultats. Attention, certains mésothérapeutes injectent diverses autres substances, qui peuvent provoquer des irritations, voire des abcès, sur le cuir chevelu.

La stimulation électrique. Technique qui pourrait favoriser le processus physiologique du renouvellement cutané, grâce à un appareil dégageant de l'énergie au niveau des cellules capillaires.

Le laser. Les lasers utilisés en cosmétologie sont des lasers doux, qui n'ont rien de comparable à ceux dont se servent les dermatologues pour détruire des tumeurs cutanées, ou des taches pigmentées. Ici, les rayons laser sont associés à l'application de divers produits dont ils démultiplieraient les effets.

7. alimentation et chute de cheveux

« On est ce que l'on mange », disent les nutritionnistes, et c'est vrai, aussi, pour la chevelure. Comme les autres parties de notre organisme, nos cheveux ont besoin d'être bien nourris de l'intérieur, pour se renouveler et croître au mieux. Bien sûr, nous ne sommes pas en train de dire que l'on peut soigner une alopécie déclarée uniquement par une alimentation saine : cela ne suffirait pas à enrayer une chute de cheveux, ni à assurer des repousses normales. Mais nous pensons qu'une nourriture équilibrée est une condition de réussite importante, sinon suffisante.

Quels aliments peuvent favoriser la pousse des cheveux ? Pour vous aider à revoir votre nourriture quotidienne en fonction de votre problème particulier de chute, nous avons passé en revue les cinq éléments qui sont, avec l'eau, nécessaires à l'organisme (protéines, lipides, glucides, vitamines et minéraux), en soulignant leur rôle général au niveau des cheveux.

Un tableau indique ensuite l'action particulière que certains d'entre eux exercent sur les fonctions vitales du cheveu et les aliments courants dans lesquels on peut les trouver.

protéines

animales : viande, poisson, lait, fromage, œufs
végétales : céréales complètes, légumineuses, fruits secs

Elles sont essentielles, car elles contiennent les acides aminés sou-frés dont est faite la kératine. Certains de ces acides se trouvent principalement dans les protéines animales. En cas de chute de cheveux, les végétariens devront en compenser le manque par des supplémentations nutritionnelles ou médicamenteuses.

L'apport en protéines idéal doit représenter environ 15 % de l'ap-port énergétique total, soit :1 g de protéines par kilogramme de poids et par jour. Attention, une alimentation hyperprotéinée empêche le cuir chevelu d'être irrigué normalement !

lipides

Ils transportent les vitamines et sont donc indispensables. Mais il faut savoir faire la distinction entre bons et mauvais lipides. Les « mauvais », ce sont les charcuteries, les viandes ou fromages gras. Les « bons », ce sont les graisses végétales ou de poisson, riches en acides gras non saturés, ceux qui ont la faculté de s'associer à d'autres éléments. Pour les huiles, par exemple, rechercher la mention : « huile extraite à froid et garantie en acides gras poly-insaturés », c'est écrit sur la bouteille. Dans une alimentation équilibrée, l'énergie fournie par les lipides doit représenter environ 35 % de l'énergie totale. S'ils sont excédentaires, les lipides développent, au niveau du cuir chevelu, des toxines qui peuvent avoir des difficultés à s'éliminer.

glucides

Là encore, il faut distinguer les bons des mauvais. Les bons glucides ont une assimilation lente et aident à construire l'organisme. On les trouve dans les sucres non raffinés, les fruits, les céréales complètes et le miel. Les mauvais glucides sont les sucres raffinés, bonbons, glaces et pâtisseries, sodas et alcools.

Les besoins quotidiens en glucides sont d'environ 5 g par kilogramme de poids et doivent représenter à peu près 50 % de l'énergie totale. Les excès se stockent sous le cuir chevelu et peuvent entraîner cheveux, pellicules grasses et mauvaise élimination.

vitamines

Les vitamines sont des catalyseurs indispensables au bon fonctionnement du follicule pileux. Leurs carences, surtout en ce qui concerne celles du groupe B, et les vitamines E et F (acides gras essentiels) peuvent provoquer de graves troubles au niveau des trois fonctions vitales du cheveu.

minéraux et oligo-éléments

Ils sont essentiels à l'élaboration des tissus capillaires et à la régulation du métabolisme. En cas d'alopécie, il faut surveiller l'équilibre fer-magnésium-calcium et la teneur du sang en certains oligo-éléments (zinc, sélénium et soufre, principalement).

ÉLÉMENTS ESSENTIELS	ACTION SUR...
Vitamine A (rétinol et carotène)	**Le sébum** aide à lubrifier le cheveu, en cas d'hyposéborrhée et à prévenir l'atrophie des glandes sébacées. Mais attention aux surcharges, un excès en vitamine A peut faire tomber les cheveux.
Vitamine B 3 (PP)	**La circulation** effet vasodilatateur, accroît la circulation sanguine dans les capillaires.
Vitamine B 5 (acide pantothénique)	**La circulation** dynamise le renouvellement cellulaire de tout le système capillaire, aide à la croissance des cheveux.
Vitamine B 6 (pyridoxine)	**Circulation, sébum, élimination** rôle essentiel dans la transformation des acides aminés soufrés (cf. p. 80) et dans la régulation de la fonction sébacée.

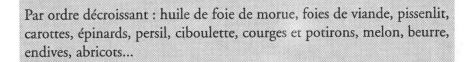

Par ordre décroissant : huile de foie de morue, foies de viande, pissenlit, carottes, épinards, persil, ciboulette, courges et potirons, melon, beurre, endives, abricots...

Presque partout, mais plus particulièrement et en ordre décroissant : foies de veau et de mouton, cacahuètes, foie de bœuf, lapin, thon en boîte, saumon, noisettes, céréales, farines...

Partout, mais plus particulièrement et en ordre décroissant : foie, rognons, œufs, viande, poisson, céréales germées (riz complet), pois, haricots, lentilles...

Presque partout, mais plus particulièrement et en ordre décroissant : foie de veau, noix, saumon frais, germes de céréales, maquereau, avocat, langue de bœuf, lapin...

ÉLÉMENTS ESSENTIELS	ACTION SUR...
Vitamine B 8 (H, ou biotine)	**Le sébum** antiséborrhéique, prévient l'atrophie du follicule pileux.
Vitamine D (calciférol)	**La circulation** aide à la croissance des cheveux et fixe le calcium. Mais attention aux surdosages, ils peuvent provoquer de graves intoxications !
Vitamine E (tocophérol)	**La circulation** stimule la circulation, l'oxygénation, la formation de nouveaux capillaires sanguins.
Vitamine F (acides gras essentiels)	**Le sébum** aide à équilibrer la fonction sébacée.

Par ordre décroissant : foie, rognons, jaune d'œuf, chocolat, pois, haricots, lentilles, champignons...

Par ordre décroissant : huile de foie de morue, anguille fumée, saumon frais, sardines, hareng frais, champignons, emmenthal, cacao...

Par ordre décroissant : huile de germe de blé, huile d'olive, cacao en poudre, noix de coco, beurre, foie...

Par ordre décroissant : huile de noix, de pépins de raisins, de tournesol, de soja, de maïs, poisson, œufs de poisson...

ÉLÉMENTS ESSENTIELS	ACTION SUR...
Les acides aminés soufrés (cystine cystéine méthionine)	**Circulation, sébum, élimination** triple action : antiséborrhéique, activent le processus de kératination et agissent comme détoxicants au niveau de l'élimination.
Fer	**La circulation** transporte les globules rouges dans les artérioles du cuir chevelu : rôle essentiel pour la nutrition et l'oxygénation des papilles.
Magnésium	**La circulation** aide à régulariser la circulation en équilibrant les états de tension nerveuse.
Calcium	**La circulation** nécessaire au fonctionnement des glandes parathyroïdes qui favorisent la croissance des cheveux.

Ail, oignons, œufs, céréales, lait et dérivés, viande, haricots...

Par ordre décroissant : farine de soja, cacao, foie de bœuf, haricots blancs, lentilles, huîtres, jaune d'œuf, pois secs, foie de veau, fruits secs, épinards...

Par ordre décroissant : cacao, soja, amandes, arachides, haricots blancs, noix, noisettes, flocons d'avoine, maïs, pain complet, lentilles...

Par ordre décroissant : fromage, semoule, amandes, cresson, persil, figues, caviar, yaourt, haricots blancs, oignons, lait, chocolat...

ÉLÉMENTS ESSENTIELS	ACTION SUR...
Silicium	**La circulation et le sébum** donne de la vitalité aux cheveux et contrôle la sécrétion de sébum.
Zinc	**La circulation et le sébum** double action : favorise la croissance du cheveu, est antiséborrhréique, par inhibition d'une enzyme influente.
Soufre	**L'élimination** aide à la respiration des tissus et à l'élimination des toxines.
Sélénium	**L'élimination** améliore la souplesse du cuir chevelu.

Par ordre décroissant : lentilles, tomates, fraises, germes de céréales...

Viande de cheval, jambon, fruits de mer et crustacés, noix, amandes, haricots, céréales germées...

Œufs, ail, cresson, germe de blé, poissons, viandes, radis noir, lait, chou, fruits secs...

Céréales, viandes, poissons...

les nutriments
de complément

On trouve les nutriments (compléments alimentaires) dans les magasins de diététique ou en pharmacie. Riches en éléments indispensables au renouvellement des cheveux et directement assimilables par l'organisme, ils complètent utilement un régime alimentaire orienté vers la prévention des états alopéciques.

La levure de bière
Riche en vitamines B, sels minéraux et zinc.

Le germe de blé
Riche en protéines végétales, acides gras non saturés, vitamine E et oligo-éléments. Particulièrement recommandé aux végétariens, pour pallier le manque en acides aminés soufrés.

La gelée royale et le pollen
Riches en vitamines B 5 et F (acides gras essentiels).

La gélatine
Riche en protéines animales, acides aminés soufrés particulièrement (cystéine).

La poudre d'huîtres
Riche en zinc, acides aminés, vitamines C et B.

La dolomite
Riche en calcium et magnésium.

8. les antichute disponibles sur le marché

Les traitements antichute sont difficiles à quantifier. Il y a pléthore de produits, de compositions, de marques différentes. De méthodes aussi : médecine traditionnelle, phytothérapie, homéopathie, mésothérapie, pour ne citer que les plus courantes. Quant à la manière dont ces produits sont distribués, elle est également très disparate : pharmacies principalement et instituts capillaires, mais aussi grandes surfaces, parfumeries, salons de coiffure, sans oublier la vente par correspondance.

à chaque cas son produit

Chaque année, des formules inédites sont testées, de nouveaux espoirs se fondent, vite déçus, hélas, car le produit miracle, celui qui fait repousser le cheveu des chauves, n'a toujours pas vu le jour. Quoi qu'en disent les marchands de rêve, et l'on sait qu'ils sont encore nombreux dans ce domaine. En revanche, il existe aujourd'hui de nombreuses formules susceptibles de contrôler une chute de cheveux. Malheureusement, aucune n'est universelle. Sur certains, telle substance fera merveille ; sur d'autres, elle n'aura aucun effet. C'est le cas par exemple du célèbre minoxidil, dont nous analysons les performances dans ce chapitre. Tout dépend en fait du type d'alopécie et de la nature du cuir chevelu concerné. À chaque cas, son produit.

Comment faire le bon choix et s'y reconnaître dans une telle jungle ? Avant de confier sa chevelure à telle ou telle déclaration prometteuse, mieux vaut d'abord regarder de quoi les produits sont faits. C'est une première piste qui permet de comprendre la façon dont le traitement peut agir.

Pour vous aider dans votre recherche, nous avons répertorié les principales substances entrant dans la composition des traitements antichute. Celles-ci sont regroupées en tableaux (p. 87 et 88), suivant notre approche particulière du soin capillaire, c'est-à-dire selon l'action qu'elles peuvent exercer sur les fonctions vitales du cheveu.

Toutes ces données sont fournies à titre indicatif, elles vous permettront de vous faire une première opinion. Elles ne devront pas vous inciter à vous soigner vous-même, telle est notre recommandation. La chevelure est un organe vivant, au même titre que les autres parties du corps : lorsqu'un problème de chute survient, celui-ci mérite la consultation et le suivi d'un spécialiste sérieux. Lui seul, après un examen approfondi du cuir chevelu, saura orienter la personne concernée vers le traitement le plus approprié. C'est la seule façon d'obtenir des résultats durables.

SUR LA FONCTION CIRCULATION

1. Effet vasodilatateur
(pour dilater et stimuler les vaisseaux capillaires)
Minoxidil ; vitamine B 3

2. Action nutritive par l'apport des éléments
nécessaires à la synthèse de la kératine
Acides aminés soufrés, vitamines B 5, B 6, E
Oligo-élément : zinc ; minéraux : fer, magnésium, silicium
Extraits tissulaires (protéines animales), extraits de plantes

3. Action antagoniste des hormones masculines
Antiandrogènes

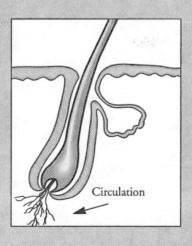

Circulation

SUR LA FONCTION SÉBUM

**1. Effet régulateur sur les glandes sébacées
et sur la microflore engendrée par leur hypersécrétion**
Vitamines A, B 6, B 8, F ; silicium
Acides aminés soufrés ; oligo-élément : zinc

2. Action antagoniste des hormones masculines
Antiandrogènes

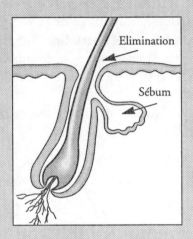

SUR LA FONCTION ÉLIMINATION

**Effet de détoxication des follicules pileux
et d'assainissement du cuir chevelu**
Vitamine B 6 ; acides aminés soufrés
Oligo-éléments : soufre, sélénium, silicium

spécial minoxidil

Le minoxidil occupe une place à part dans le monde des anti-chute, c'est le plus connu des traitements, le plus controversé également. Beaucoup d'espoirs ont été fondés sur ce médicament pendant une dizaine d'années, avant que ne soit démontrée sa très relative efficacité.

L'histoire. La découverte du minoxidil est insolite, parce que totalement fortuite. Le médicament fait son apparition aux États-Unis en 1970. La molécule dont il est fait présente de puissantes propriétés *vasodilatatrices* (de dilatation des vaisseaux), et il est prescrit à l'époque pour soigner les malades atteints d'hypertension artérielle. Mais après quelques années d'utilisation, il apparaît clairement que le traitement peut avoir des effets secondaires sur le système pileux en général et donc sur le cuir chevelu : il fait repousser les cheveux de certains patients, hommes ou femmes, présentant une chute de cheveux d'origine héréditaire. De cette observation naît l'idée de mettre au point une lotion capillaire, et c'est ainsi que le minoxidil arrive sur le marché français en 1987. Aujourd'hui, il est commercialisé, sous différentes marques, en solution alcoolique à 2 % : Alopexy, Alostil, Minoxidil Gerbiol, et Regaine. Il n'est vendu qu'en pharmacie et sur ordonnance.

Le minoxidil comme antichute. Utilisé localement sur le cuir chevelu, le minoxidil n'est malheureusement pas la lotion miracle qui peut résoudre tous les problèmes de chute de cheveux, comme on l'a d'abord cru. Le médicament a fait l'objet de nombreuses études, tant aux États-Unis qu'en Europe, et le recul est maintenant suffisant pour que des statistiques sérieuses puissent être établies. Les résultats, enregistrés sur les utilisateurs qui nous consultent, se présentent de la manière suivante :

± 10 %	➤	Chute stoppée, repousse de cheveux fins
± 20 %	➤	Chute stoppée, repousse de duvet
± 35 %	➤	Chute ralentie, pas de repousse
± 35 %	➤	Aucun effet

Comme pour tous les autres traitements antichute, il est évident que celui-ci ne peut pas être efficace si l'activité des follicules pileux est arrêtée définitivement. Les succès les plus probants se rencontrent chez les sujets de moins de 35 ans, dont l'alopécie est récente et peu étendue. De plus, les résultats positifs ne s'enregistrent que dans le cas des alopécies androgénétiques. Pour les problèmes de pelade, le minoxidil s'est avéré totalement décevant.

Contraintes. En traitement d'attaque, l'application se fait deux fois par jour. Les cheveux doivent être totalement secs, avant l'application, et être séchés naturellement, après. L'utilisation d'un sèche-cheveux nuit à l'efficacité du produit, car il accélère son évaporation. Le traitement est contraignant, mais il doit être scrupuleusement suivi avant que les premiers résultats puissent apparaître. Même pour les bons « répondeurs », le contrôle de la chute et le début de la repousse n'interviennent que quatre à six mois après le début des soins. D'autre part, Le minoxidil ne doit jamais être interrompu, sous peine d'un retour à l'état initial, dans les six mois qui suivent l'arrêt du traitement. Mais rien ne s'oppose à ce que celui-ci soit indéfiniment poursuivi, par cures d'entretien de deux mois, trois à quatre fois par an.

Effets indésirables. En solution locale, le minoxidil est un médicament bien toléré. Les effets indésirables se limitent généralement à quelques réactions allergiques rares et sans gravité : irritation du cuir chevelu, sécheresse de la peau, pousse excessive des poils en dehors de la région traitée. Toutes ces réactions sont réversibles, à l'arrêt du traitement. On perd alors les bénéfices acquis, et certains préfèrent poursuivre les soins plutôt que de voir disparaître à nouveau des cheveux si difficilement reconquis. Tôt ou tard, ils devront néanmoins abandonner le minoxidil et la désillusion n'en sera que plus importante. Pour un spécialiste capillaire, il est facile de prévoir si le cuir chevelu concerné supportera dans le temps ces applications régulières. Aussi le médicament ne doit-il jamais être utilisé sans un avis professionnel.

le finastéride

Un autre médicament, le finastéride, utilisé pour freiner les problèmes de prostate, s'est avéré, lui aussi, avoir des effets inattendus sur la croissance des cheveux. Des cas isolés de repousse de duvet ou de cheveux fins, sur des zones dégarnies par une alopécie androgénétique, ont été récemment signalés. Le médicament est actuellement à l'étude comme antichute capillaire. L'affaire est à suivre.

9. influence
des shampooings

Les shampooings ne soignent pas directement les problèmes de chute. Leur influence est néanmoins essentielle : s'ils sont trop agressifs et appliqués sur un cuir chevelu fragile, ils peuvent favoriser une alopécie. Savoir choisir son shampooing, savoir à quelle fréquence le faire et comment le réussir, trois questions qui méritent que l'on s'y penche, lorsque le cycle vital des cheveux est déjà fragilisé et qu'un processus de chute est engagé.

le choix

Il se vend en France près de 14 millions de flacons par an, et chaque année plus de 500 nouveaux brevets sont déposés de par le monde : c'est un marché florissant, dont les progrès technologiques ont été considérables depuis vingt ans. Pourtant la multitude des marques, la variété des indications et des prix, l'abondance des propositions publicitaires rendent souvent le consommateur plus perplexe qu'averti. Pour faire le bon choix, celui-ci devra d'abord apprendre à s'y reconnaître parmi les divers composants qui peuvent entrer aujourd'hui dans la formule d'un shampooing.

92

UNE BASE LAVANTE (TENSIO-ACTIF)

qui représente 15 à 25 % de la solution totale

DE L'EAU PURIFIÉE

qui représente 70 à 80 % de la solution totale

DES SUBSTANCES TRAITANTES OU COSMÉTIQUES

Différents additifs, d'origine animale ou végétale, pour traiter les cheveux gras, les cheveux secs, les pellicules, pour démêler, faire briller ou adoucir la chevelure, lui donner du volume, etc.

DIVERS ADJUVANTS

• un stabilisateur de mousse : pour répondre au désir du public qui aime qu'un shampooing mousse

• un épaississant : pour rendre le shampooing moins liquide et donc plus facile à étaler

• un agent anticalcaire : pour éviter que les dépôts calcaires de l'eau de lavage ne se fixent sur les cheveux

• un conservateur : antiseptique, nécessaire à la conservation du produit

• un parfum : pour neutraliser l'odeur des autres composants et personnaliser le shampooing

• un surgraissant, éventuellement : pour atténuer l'action détergente de la base lavante

Composants d'un shampooing courant

Quels sont les composants qu'il convient de privilégier ? Paradoxalement, les substances traitantes, animales ou végétales, que les marques mettent en avant pour se distinguer les unes des autres ont une certaine importance au niveau de l'aspect final de la chevelure, mais elles restent secondaires pour la vitalité des cheveux. Les éléments fondamentaux, sur lesquels l'attention doit être portée, sont les bases lavantes, appelées également les tensio-actifs : ce sont elles qui déterminent, ou non, la douceur d'un produit. Sans entrer dans les détails des compositions chimiques, il faut savoir qu'il existe quatre différents types de tensio-actifs :

Les anioniques
Ce sont les plus économiques. De base acide, ils sont très détergents, très moussants et peu démêlants. Shampooings familiaux et savon de Marseille font partie de cette catégorie.

Les cationiques
De base alcaline, ils sont peu détergents, moussent peu et présentent une forte affinité avec la kératine. Ils sont surtout utilisés en complément des autres, comme conditionneurs ou démêlants.

Les amphotères
Ni acides ni alcalins, ils sont peu détergents, peu moussants, très peu agressifs, mais d'un prix élevé. On les trouve souvent associés aux anioniques dont ils améliorent la tolérance.

Les non ioniques
Encore moins agressifs, encore moins moussants, encore plus chers. Ils sont parfaitement tolérés et lavent bien, mais ont tendance à alourdir la chevelure. Il faut donc les équilibrer en les associant à l'une des autres bases.

La conclusion se résume en une équation assez simple : moins un produit est détergent, moins il mousse et moins il risque d'agresser les cellules vivantes des follicules pileux. Mais aussi plus il est cher ! À notre avis, c'est un investissement qu'il faut savoir faire, étant donné l'enjeu mis en cause. Quant à la mousse, contrairement à ce que l'on croit généralement, son abondance ne détermine en aucune façon les propriétés lavantes d'un shampooing. C'est plutôt un gage d'agressivité, donc un critère négatif.

Cela dit, la législation française n'oblige pas encore les fabricants à inscrire la composition exacte des produits sur leur étiquette de présentation. Aussi les substances entrant précisément dans la constitution des tensio-actifs ne sont-elles pas toujours mentionnées. Alors, comment faire le bon choix ? Notre conseil est de lire attentivement les indications inscrites sur l'emballage et donner la préférence aux shampooings qui spécifient la teneur de leur base lavante. C'est souvent le cas des laboratoires à vocation de soins capillaires, comme Ducray, Dercos ou Klorane… En complément de leurs produits antichute, ils proposent tous de larges gammes de shampooings, dont ils indiquent généralement la composition.

À défaut d'indications précises, il faut se reporter aux mentions telles que : « base lavante très douce », « shampooings doux pour lavages fréquents », « shampooings pour cheveux fragiles », etc. Les « shampooings pour bébé » posent un autre problème : l'indication ne veut pas dire plus doux, comme on le croit souvent, mais peu irritant et, surtout, qui ne pique pas les yeux. Attention, ces shampooings contiennent parfois des surgraissants, utiles à la chevelure des enfants, mais qui peuvent rendre les cheveux d'adultes plus mous.

fréquence

La vieille polémique sur la fréquence des shampooings doit être mise définitivement à la trappe. À la trappe donc, cette idée reçue que « plus on lave les cheveux, plus ils tombent », ou sa variante : « plus les shampooings sont fréquents, plus les cheveux graissent et se salissent vite ». Ce qui était vrai il y a encore vingt ans est maintenant dépassé, grâce aux progrès réalisés dans la cosmétologie du cheveu. Aujourd'hui on peut se laver les cheveux chaque fois qu'ils sont sales, tous les jours même, si l'on en ressent le besoin : ils ne tomberont pas plus pour autant. À condition bien sûr d'utiliser un produit adapté à la nature de ses cheveux et de prendre certaines précautions en faisant son shampooing.

comment réussir son shampooing

Un shampooing est une opération facile à réussir, ce qui ne veut pas dire qu'elle soit quelconque. Comme le brossage des dents, le lavage des cheveux requiert la mise en pratique de quelques règles simples, l'abandon de quelques mauvaises habitudes et un minimum de temps. Voici la meilleure façon de procéder :

• Mouillez-vous la tête avec de l'eau tiède, à 35 °C environ. Ne massez jamais votre cuir chevelu, une fois que vous y avez appliqué votre shampooing. Si peu agressive que soit la base lavante, elle l'est toujours trop pour des racines fragiles. Le massage en l'occurrence n'ajouterait rien à la propreté de vos cheveux. Frottez légèrement votre cuir chevelu, malaxez vos cheveux en douceur, du crâne vers les pointes, afin d'éviter de les emmêler. L'opération doit prendre de 1 à 3 minutes, selon l'abondance de la chevelure.

• Ne laissez pas reposer votre shampooing, éliminez-le en ajoutant peu à peu de l'eau, avant de rincer à fond. On ne passe jamais trop de temps à bien rincer ses cheveux.

• Ne faites qu'un shampooing, surtout si vous vous lavez les cheveux plus d'une fois par semaine. La deuxième application, souvent recommandée sur le mode d'emploi, est à éviter. Elle sensibilise inutilement cheveux et cuir chevelu.

• Le séchage : si vous habitez une grande ville, évitez de sortir avant d'avoir séché vos cheveux. Sur une chevelure mouillée ou encore humide, les poussières accrochent, au lieu de glisser comme elles le font sur des cheveux bien secs. Si vous vous servez d'un séchoir, n'utilisez pas l'air chaud, préférez l'air tempéré. Enfin, dans le cas où vous vous faites un brushing, ne brossez pas vos cheveux avec insistance et maintenez le séchoir à 10 cm au moins de votre cuir chevelu.

10. chirurgie et soins capillaires

Au moment où vous lisez ce guide, si votre chevelure présente des zones de calvitie avancée dont vous ne supportez plus l'apparence, il existe peut-être un dernier recours, celui de la chirurgie. Dernier recours, puisque aucun traitement ne peut faire repousser des cheveux dont les follicules sont définitivement morts.

Plus particulièrement adaptée aux hommes ou aux femmes dont la chute des cheveux est de type androgénétique (cf. chapitres 11 et 12), la chirurgie de la calvitie a fait des progrès considérables ces dernières années.

les techniques

Les différentes techniques chirurgicales ont toutes pour but de prélever des cheveux aux endroits où ils ne tombent jamais, pour les replanter aux endroits où il n'y en a plus. Autrement dit, de prendre des cheveux, venant de la couronne chez l'homme, de la nuque chez la femme, et de les installer de la manière la plus naturelle possible sur les zones dégarnies.

Le choix d'une technique, plutôt qu'une autre, et son exécution seront guidés par le croisement de plusieurs facteurs :

• La qualité en densité, en largeur et en vigueur de votre zone donneuse, l'étendue des zones à recouvrir et les corrections esthétiques que vous souhaitez obtenir à court et à long terme.

• Une estimation précise de l'évolution future de votre alopécie, afin de ne pas prélever des cheveux dans une zone qui risquerait de se dégarnir plus tard.

• Votre état général : comme pour toute intervention chirurgicale, il est nécessaire de vérifier par différents examens s'il n'existe pas des motifs de contre-indication opératoire.

> Mais attention, quelle que soit l'option retenue pour votre cas particulier, vos cheveux auront besoin, avant et après l'intervention, de soins capillaires réguliers, pour rendre durables les résultats opératoires et empêcher votre calvitie de continuer à s'étendre.

les greffes

Caractéristiques. C'est la plus courante et la moins lourde des techniques. Plus que de chirurgie, il convient, là, de parler de médecine esthétique. L'intervention n'est d'ailleurs pas toujours pratiquée par un chirurgien, elle peut l'être également par un dermatologue spécialisé. Elle ne nécessite ni hospitalisation, ni anesthésie générale, simplement une anesthésie locale de la zone donneuse et de la zone receveuse. Le patient peut rentrer chez lui, après s'être reposé pendant les deux ou trois heures qui suivent l'opération, et reprendre une activité normale le lendemain.

L'intervention est-elle douloureuse ? Les greffes de cheveux ne sont pas douloureuses, seule l'anesthésie locale est désagréable, mais elle est maintenant précédée d'une préanesthésie, qui la rend pratiquement indolore. Pour plus de confort, on administre au patient un sédatif léger, une demi-heure avant l'intervention. Après l'intervention, les deux zones opérées peuvent rester légèrement sensibles pendant quelque temps. La gêne est minime et disparaît presque toujours sans médication spéciale.

Les a priori. Beaucoup de gens ont encore de forts a priori concernant cette technique et pensent que le résultat final est trop régulier et visiblement artificiel, donnant une impression de travées de légumes dans un potager. C'était vrai autrefois, cela ne l'est plus aujourd'hui, la technique ayant beaucoup évolué, avec l'apparition des *microgreffes* (1 à 2 cheveux). Lorsqu'elles sont bien faites, que la zone à recouvrir n'est pas trop étendue, les greffes sont devenues pratiquement indécelables.

Principe. Il est aussi simple que de changer une plante de pot, mais il exige adresse, patience et minutie. Après avoir rasé à 2 ou 3 mm les cheveux à transplanter, on extrait leur racine et leur follicule pileux de la zone donneuse, puis on les replace dans la zone receveuse, où de minuscules alvéoles ont été préalablement préparés, afin d'insérer les follicules.

Dans la zone donneuse, le prélèvement des cheveux se fait aujourd'hui en découpant une bande du cuir chevelu de 1 cm de haut maximum, sur 5 à 10 cm de large et 5 mm de profondeur. Une fois la bande prélevée, le praticien en recoud les deux bords, par des points de suture invisibles.

Pendant ce temps, un assistant divise la bande en de multiples fragments, de un à deux cheveux *(microgreffe)*, ou de trois à cinq cheveux *(minigreffe)*. Les fragments sont ensuite déposés dans du sérum physiologique, le temps de les réimplanter un à un sur la zone receveuse. Pour obtenir un effet naturel, on intercale généralement des microgreffes entre les minigreffes. La ligne frontale, elle, est presque toujours recouverte de greffons à cheveu unitaire. On peut greffer jusqu'à mille cheveux par séance.

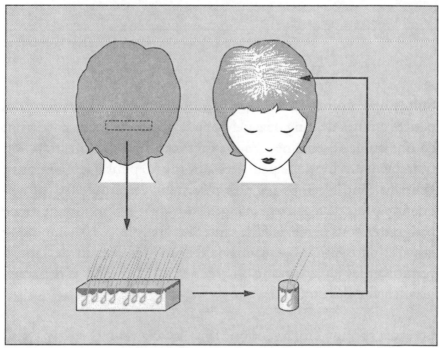

Greffes : chez une femme, zone donneuse située dans la nuque

Selon l'étendue des zones à recouvrir, pour obtenir un résultat satisfaisant, il est parfois nécessaire de compter deux à trois séances, de deux à quatre heures chacune. Entre chaque intervention, l'intervalle minimum est de quatre semaines.

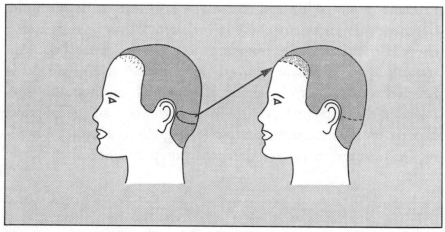

Chez un homme, zone donneuse située dans la couronne

Suites opératoires et résultats. Autour de chaque greffon, des petites croûtes de sang coagulé vont se former, elles disparaîtront en une ou deux semaines. Pour éviter tout risque d'infection, un traitement antibiotique peut être administré pour quelques jours. Pendant tout le temps où elles persistent, les croûtelles provoquent parfois de légères démangeaisons qu'il est important de ne pas gratter, sous peine de faire sauter les greffons. Un shampooing doux et antiseptique peut être fait dès le lendemain de l'intervention et les jours suivants. Il aide le cuir chevelu à se débarrasser plus vite des croûtelles.

Le mois suivant l'intervention, tous les cheveux greffés passent en phase de chute et tombent. Il faut compter trois mois en moyenne chez les hommes, cinq mois chez les femmes, pour voir les premières repousse apparaître. Ces nouveaux cheveux doivent être aussi solides que ceux de l'endroit d'où ils viennent, ils doivent pousser, tomber et repousser normalement. Il est néanmoins admis qu'environ 10 à 30 % des cheveux transplantés puissent ne pas prendre. C'est un déchet considéré comme normal et il n'y a pas lieu de s'en inquiéter.

Occasionnellement, certains praticiens se servent d'un appareil qui permet, en une opération, de prélever un à un des greffons de la zone donneuse, de les aspirer dans un tuyau stérile et de les faire parvenir, en 1/10 de seconde, à l'endroit où ils doivent être réimplantés. Là, sans préparation préalable de la peau, ils sont installés à l'aide d'une petite aiguille qui perfore le cuir chevelu, tout en replantant le greffon à l'emplacement voulu.

les autres techniques

Elles ne doivent être exécutées que par des chirurgiens esthétiques qualifiés. Elles peuvent nécessiter une hospitalisation et requièrent toujours un suivi opératoire sérieux.

Les lambeaux. La technique consiste à découper puis à décoller une bande de cuir chevelu de taille variable (de 3 cm de large sur 10 à 15 cm de long). Le découpage se fait au niveau de la couronne et sur trois côtés seulement. On fait ensuite pivoter le côté restant, appelé pédicule de rotation, et l'on greffe le lambeau sur une zone chauve, au niveau du front ou de la tonsure. La zone donneuse est fermée par suture. Les cheveux restent longs. En principe ils ne tombent pas immédiatement après, comme c'est le cas pour les greffes. Ici, la peau greffée restant vascularisée par l'intermédiaire du pédicule, le cycle de renouvellement n'est pas interrompu.

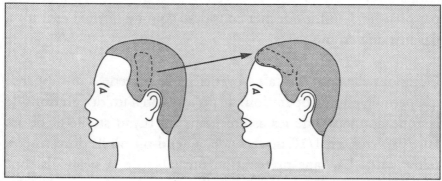

Technique des lambeaux

La réduction de tonsure. C'est un véritable lifting de la peau, avec décollement, puis suppression de la zone chauve. Les deux parties chevelues sont ensuite suturées l'une à l'autre. Si la tonsure est trop grande, ou si le cuir chevelu n'est pas assez souple, l'opération peut nécessiter plusieurs interventions dans le temps, de manière à réduire progressivement la partie sans cheveux.

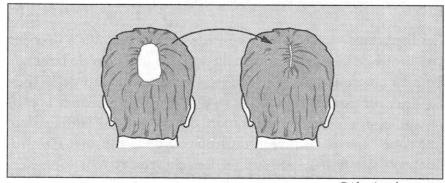

Réduction de tonsure

Lambeaux ou réduction de tonsure, il est souvent nécessaire d'avoir recours à un complément de minigreffes pour masquer des cicatrices ou regarnir les zones voisines. Les techniques sont parfaitement combinables.

L'expansion tissulaire. Le procédé obéit au même principe que celui de la réduction de tonsure, mais comporte un gonflage préalable des zones chevelues. L'opération de gonflage s'effectue en trois mois environ : on étire la zone de la couronne à l'aide de ballonnets de silicone *(expandeurs)* posés sous la peau et remplis progressivement de sérum physiologique.

Lors de l'intervention, on procède d'abord au décollement et à la suppression de la zone sans cheveux, puis à l'ascension de la couronne, les zones chevelues étant suturées l'une à l'autre. La distension latérale, exercée par les expandeurs, gêne considérablement la vie en société pendant toute la phase préparatoire. La technique est pour cela encore très peu pratiquée. Mais elle est en train d'évoluer, le délai de préparation pouvant maintenant être écourté à quatre semaines.

les soins capillaires

Quel que soit le type d'intervention retenu, il est recommandé de traiter son cuir chevelu, avant et après l'opération, pour en faciliter l'exécution et rendre ses résultats durables dans le temps. Trop de personnes négligent leurs cheveux lorsqu'elles ont pris une option chirurgicale, pensant que c'est la panacée. Elles s'attirent des déconvenues qu'elles auraient facilement pu éviter.

Avant l'intervention. Il est important de traiter localement la zone donneuse, au moins deux mois avant l'intervention. Cela permet à un maximum de follicules pileux et de cheveux d'être en pleine vitalité au moment venu. Pour la réduction de tonsure, il faut aussi assouplir le plus possible le cuir chevelu par des massages et l'application de produits appropriés.

Au niveau de la zone receveuse, pour les greffes, il faut stimuler la fonction circulation de façon à donner aux greffons toutes les chances de prendre. Le traitement est un peu comparable à celui que l'on fait subir à la terre avant de la semer, et il est essentiel.

Après l'intervention. Dès la disparition totale des croûtelles, dans les quinze jours qui suivent la mise en place des greffes, il est conseillé de rééquilibrer les trois fonctions vitales pour activer le cycle de renouvellement des cheveux. Ensuite, lorsque les cheveux transplantés sont tombés, il faut accélérer, par un stimulant capillaire adapté, leur repousse et leur croissance, de façon à renforcer la vitalité d'un maximum de greffons.

Enfin, qu'il s'agisse de greffes, de lambeaux ou de réduction de tonsure, il faudrait toujours traiter les zones chevelues non opérées. Pour empêcher l'alopécie ou la calvitie de s'étendre.

deuxième partie : principales chutes de cheveux et exemples de traitements

11. chute androgénétique chez l'homme

Appelée également « chute commune de l'homme », c'est la plus courante des alopécies : elle concerne plus d'un adulte sur trois en France, près de neuf millions au total. À des degrés différents, bien sûr. Certains seront chauves à 30 ans, d'autres ne seront que « dégarnis » vers la soixantaine, tout dépendra de l'intensité des facteurs influents et de la manière dont chacun y réagira.

androgénétique

Androgénétique est le terme médical moderne pour qualifier cette alopécie. Que veut-il dire exactement ? D'abord que ce type de chute obéit à une réaction anormale des cheveux aux *androgènes*, les hormones sexuelles mâles. Ensuite que cette réaction est due à un certain déterminisme génétique. Le regroupement des deux origines, androgène et génétique, explique le terme.

Les hormones androgènes étant sécrétées à partir de la puberté, c'est entre 17 et 35 ans qu'elles exercent le plus fortement leur influence négative sur les cellules d'un cuir chevelu génétiquement prédisposé à subir cette influence.

les symptômes

La gravité d'une alopécie androgénétique dépend donc, en grande partie, de l'âge auquel celle-ci débute. Quand la chute est notoire dès la fin de la puberté, on est presque sûr qu'une calvitie va s'installer avant 30 ans, si l'intéressé ne fait rien pour se traiter. La précocité est toujours un facteur aggravant, surtout lorsqu'il y a des antécédents familiaux.

Le rythme de la chute

Il est très variable suivant les individus. On peut néanmoins dégager quelques scénarios types :

• La chute est importante et continue, vers la fin de l'adolescence, à 17 ou 18 ans, parfois même avant.

• Les cheveux tombent un peu trop tout le temps, mais surtout au moment de fatigues ou de stress particuliers, à l'occasion d'un examen par exemple. Après chacune de ces chutes ponctuelles, on a l'impression que c'est terminé. Mais les repousses sont moindres et, vers 23-25 ans, on prend conscience d'une calvitie naissante.

• Les cheveux tombent de façon sournoise, sans que l'intéressé n'y prenne garde. Mais, vers 20 ans, on observe déjà un recul frontal, et la chevelure est clairsemée et plus fine sur le dessus de la tête.

• Dans les cas les moins graves, la chute est encore plus insidieuse. Elle commence vers 20 ans, de façon si progressive que l'intéressé ne s'aperçoit pas de l'éclaircissement très graduel de sa chevelure. Il ne prend conscience d'un certain manque de cheveux que vers 30 ou 35 ans. Celui-là ne sera jamais chauve.

Les cheveux gras et les pellicules

Cette perte anormale de cheveux est souvent accompagnée d'une sécrétion excessive de sébum, surtout chez l'adolescent. Les cheveux sont alors gras, sans volume, pouvant dégager une odeur désagréable. Des pellicules, grasses aussi, adhèrent parfois au cuir chevelu, elles vont souvent de pair avec de l'acné sur le visage.

Les repousses

Les cheveux qui tombent sont remplacés par des cheveux de moins en moins épais et denses, de plus en plus courts, jusqu'à l'apparition d'un fin duvet à peine perceptible. En phase terminale, la repousse ne se fait plus du tout. Cette dégradation s'étale sur une période variable selon les individus. Dans les formes les plus sévères, les étapes intermédiaires semblent s'accélérer à un tel rythme que l'on peut croire à un arrêt pur et simple de la repousse, chaque cheveu perdu donnant l'impression de l'être définitivement, sans phase transitoire.

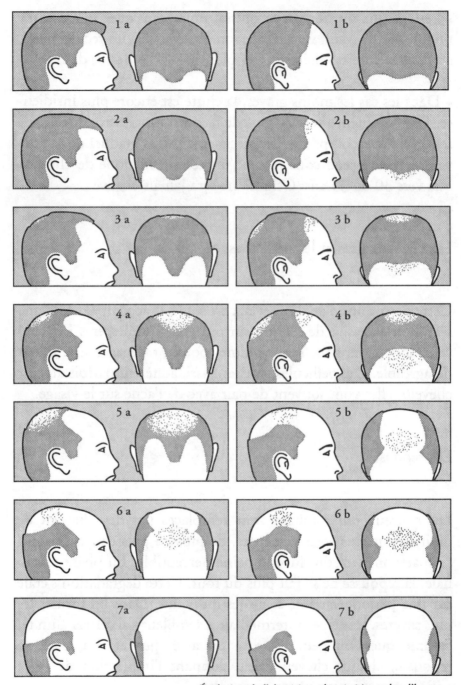

Évolution de l'alopécie androgénétique chez l'homme

Localisation

Qu'il soit rapide ou lent, le processus de chute est toujours le même : il commence par le haut, il épargne toujours le pourtour bas de la tête. Les deux schémas de référence (ci-contre) comprennent sept stades, partant des tempes (type a) ou du front (type b), pour finir à la couronne dite *hippocratique*. L'évolution de chaque cas particulier peut prendre un aspect légèrement différent par rapport à ces deux schémas types. Le résultat final, lui, ne varie guère, pour ceux qui présentent une forte prédisposition héréditaire et ne suivent pas de traitement.

Stade 1
Léger creusement aux tempes (a), ou au front (b)

Stade 2
Le creusement des golfes s'accentue (a),
ou la ligne du front recule (b)

Stade 3
Accentuation : soit aux tempes (a), soit en arrière du front (b).
Dans les deux cas : début de chute sur le sommet

Stade 4
Deux possibilités : soit la tonsure s'agrandit (a),
soit la partie frontale recule encore (b)

Stade 5
Dans les deux cas, les deux zones initiales
se rapprochent l'une de l'autre (a et b)

Stade 6
Couronne haute

Stade 7
Couronne basse

Et vous, où vous situez-vous ?

La rapidité du développement de votre alopécie dépend en grande partie de votre prédisposition héréditaire. Pour mesurer cette prédisposition et connaître le potentiel d'évolution de votre chute, si rien n'est entrepris, il y a deux paramètres : votre âge et le stade où vous en êtes.

Souvenez-vous que, même dans les cas les plus sévères, il est toujours possible, aujourd'hui, de conserver les cheveux que l'on a encore sur la tête et de prévenir de nouvelles chutes. Il suffit pour cela de renforcer, sans relâche, les fonctions vitales de vos cheveux. Les exemples suivants devraient inciter les plus négligents à passer à l'action.

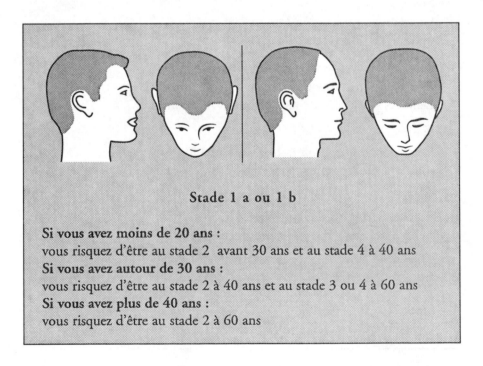

Stade 1 a ou 1 b

Si vous avez moins de 20 ans :
vous risquez d'être au stade 2 avant 30 ans et au stade 4 à 40 ans
Si vous avez autour de 30 ans :
vous risquez d'être au stade 2 à 40 ans et au stade 3 ou 4 à 60 ans
Si vous avez plus de 40 ans :
vous risquez d'être au stade 2 à 60 ans

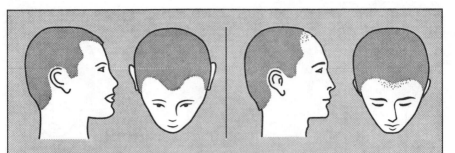

Stade 2 a ou 2 b

Si vous avez moins de 20 ans :
vous risquez d'être au stade 4 à 30 ans et au stade 5 ou 6 à 40 ans
Si vous avez autour de 30 ans :
vous risquez d'être au stade 3 à 40 ans et au stade 4 ou 5 à 60 ans
Si vous avez plus de 40 ans :
vous risquez d'être au stade 3 à 60 ans

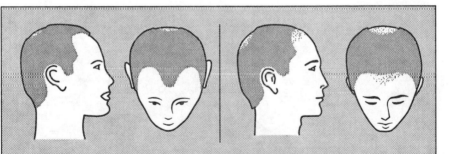

Stade 3 a ou 3 b

Si vous avez moins de 20 ans :
vous risquez d'être au stade 5 à 30 ans et au stade 7 à 40 ans
Si vous avez autour de 30 ans :
vous risquez d'être au stade 4 à 40 ans et au stade 5 à 60 ans
Si vous avez plus de 40 ans :
vous risquez d'être au stade 4 à 60 ans

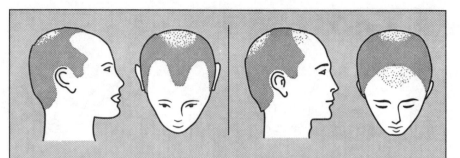

Stade 4 a ou 4 b

Si vous avez moins de 20 ans :
vous risquez d'être au stade 7 à 30 ans
Si vous avez autour de 30 ans :
vous risquez d'être au stade 5 à 40 ans et au stade 6 ou 7 à 60 ans
Si vous avez plus de 40 ans :
vous risquez d'être entre le stade 4 et 5 à 60 ans

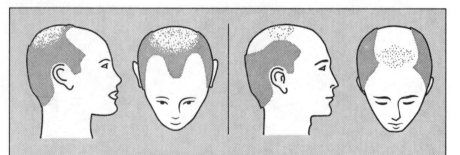

Stade 5 a ou 5 b

Si vous avez moins de 20 ans :
vous risquez d'être au stade 7 avant 30 ans
Si vous avez autour de 30 ans :
vous risquez d'être au stade 6 à 40 ans et au stade 7 avant 60 ans
Si vous avez plus de 40 ans :
vous risquez d'être au stade 6 à 60 ans

les causes

Produite par les testicules et les glandes surrénales, la *testostérone* est l'hormone androgène responsable des troubles capillaires qui caractérisent l'alopécie androgénétique. L'affection n'atteint d'ailleurs pas les enfants, la sécrétion des androgènes ne débutant qu'à la puberté. Elle épargne aussi les eunuques et les hommes castrés, cette sécrétion étant alors artificiellement interrompue.

L'origine du trouble

On a longtemps cru que le mal était dû à une production de testostérone supérieure à la moyenne. Ceux qui perdaient leur cheveux y trouvaient leur compte, car la croyance populaire leur prêtait une puissance virile hors du commun ! C'était une juste compensation, mais c'était faux : on le sait aujourd'hui, ce n'est pas la quantité des hormones mâles qui est en cause, mais la manière plus ou moins sensible dont celles-ci sont captées localement par les follicules pileux. Autrement dit, il ne s'agit pas d'un trouble de la production glandulaire, mais d'un trouble de la peau, du « récepteur », selon la terminologie médicale.

Le mécanisme

Normalement la testostérone qui circule dans le sang se lie à une protéine qui la neutralise. Seule une fraction infime peut échapper à ce métabolisme, rester biologiquement active et parvenir, par la papille, jusqu'aux follicules pileux. Elle est alors transformée en une nouvelle hormone (la *DHT*), puis activée par une enzyme locale, laquelle est le véritable artisan du malheur des chauves. Que se passe-t-il exactement ?

Habituellement, le cycle vital des cheveux s'étale sur une période de trois ou quatre ans pour les hommes. Ici, stimulé par l'enzyme influente, ce cycle va se réduire à un ou deux ans, voire moins. En effet, le rythme s'accélère de façon anormale, raccourcissant sensiblement la durée de la phase de croissance et précipitant chaque cheveu en phase de chute. Conséquence : réactions en chaîne...

Le cheveu malade tombe avant d'avoir atteint sa longueur maximale et laisse place trop vite à une nouvelle repousse, qui aura elle-même une durée de vie raccourcie. La papille et les cellules du follicule pileux, sans cesse sollicitées par cette accélération pathologique, ont tendance à s'atrophier. Leur volume se réduisant, elles ne peuvent plus produire des cheveux de diamètres normaux. Ceci explique que chaque nouveau cheveu soit toujours plus court et plus fin que celui qu'il remplace, évoluant ainsi progressivement vers un fin duvet, puis vers l'absence totale de repousse. À la fin du processus, les follicules pileux ne produisant plus de cheveux s'enfoncent dans le derme et la peau devient lisse.

Le sébum

Très souvent, l'action enzymatique ne se contente pas de stimuler de façon anormale le cycle vital des cheveux, elle joue aussi un rôle de catalyseur sur l'activité de la glande sébacée, ce qui accélère d'autant le rétrécissement progressif des cellules capillaires. Là encore, les réactions arrivent en chaîne : une trop grande sécrétion de sébum stagne dans le follicule pileux, épaissit le cuir chevelu et empêche les vaisseaux sanguins d'entretenir avec la racine les échanges nécessaires au renouvellement du cheveu. La racine, moins bien nourrie et disposant de moins de place, tend à s'atrophier davantage. De plus, la sécrétion sébacée contient des acides gras qui irritent la peau et peuvent être à l'origine de pellicules.

Ce que l'on n'explique pas

• Pourquoi les traitements locaux visant à neutraliser l'enzyme de la DHT donnent-t-ils peu de résultats ? Y aurait-il d'autres hormones androgènes, impliquées, et non identifiées, à ce jour ?

• Pourquoi cette perte prématurée des cheveux épargne-t-elle toujours le bas de la chevelure, en laissant une couronne autour de la tête, même chez les très grands chauves ?

Des expériences sur des singes, atteints par ce même type d'alopécie, ont montré qu'un morceau de peau, pris sur une partie du front en train de se dégarnir et transplanté vers la nuque, n'empêchait pas la calvitie de continuer à se développer. De même, chez l'homme, lorsqu'on transplante chirurgicalement des greffons extraits du bas de la tête, pour les disposer sur un front dégarni, le cycle vital des cheveux continue de se renouveler.

Tout ceci prouve formellement que la vie, l'évolution et la mort d'un follicule pileux suivent un programme génétique, prédéterminé, indépendamment de l'endroit où on le déplace.

Autrement dit, que certaines zones du cuir chevelu sont récep-
tives, au départ, à l'action des androgènes, alors que d'autres ne
le sont pas, quel que soit le sens de la transplantation. Mais pourquoi le haut de la tête et non le bas ?

• Pourquoi les androgènes qui transforment, à partir de la puberté, le duvet du visage en barbe peuvent-ils avoir l'effet inverse sur
certains cuirs chevelus, en transformant les cheveux en duvet ?
De même, comment une trop grande sensibilité aux androgènes
peut-elle à la fois diminuer la chevelure, tout en favorisant, chez
certains, la pousse des poils sur d'autres parties du corps (oreilles,
nez, abdomen, épaules…) ?

quelques exemples

Antoine, 18 ans,
(stade 1 b avancé)

Au moment de sa première
consultation au Centre, Antoine
perd, depuis 6 mois, près de 150
cheveux par jour, lors du shampooing quotidien. Cette chute
brutale est accompagnée d'une
forte séborrhée et de pellicules
grasses. Antoine, hanté par la calvitie de son père et la peur de
devenir un jour chauve, génère
un stress important. Il ne peut

plus se concentrer sur ses cours. Il
ne fait plus de sport, par crainte
d'augmenter la chute. Avant de
nous consulter, Antoine a suivi
un traitement de Bépan-
thène/Biotine, par injection pendant 6 semaines, puis par voie
orale pendant 2 mois. Le tout
assorti d'une lotion antichute.
Résultat : amélioration les 2 premiers mois, rechute ensuite.

Notre diagnostic. Le test de traction confirme une forte chute en
cours. Devant et sur le sommet, il
manque près de la moitié des che-

veux. L'examen au microscope met en évidence un facteur aggravant, celui de l'anxiété, lié à la chute. Pourtant, plus de 50 % des follicules pileux, sans cheveux, sont encore vivants. Nous expliquons à Antoine que ceux-ci pourront être récupérés et fournir de nouvelles repousses. La peau du cuir chevelu est souple, mais facilement irritable : elle ne supporterait pas un traitement régulier de minoxidil.

Le plan de traitement. Intense pendant 6 mois et à raison de 20 minutes tous les 2 jours, pour équilibrer et stimuler les fonctions vitales. En parallèle, reprise du traitement de vitamines B et conseils généraux : reprendre le sport pour diminuer les tensions nerveuses, réduire la consommation de viande rouge et de laitages au profit de poisson et de viande blanche.

Évolution. Après 3 mois, les fonctions sébum et élimination se sont normalisées. Trois shampooings par semaine sont suffisants, les pellicules ont disparu, la chute a beaucoup diminué. Après 6 mois, la perte a été stabilisée à 15 cheveux par jour et les repous-ses prévues se sont installées normalement. Pour renforcer les résultats obtenus, nous avons décidé, ensemble, de poursuivre les soins au même rythme, pendant 4 mois. Aujourd'hui, à 24 ans, Antoine continue d'entretenir ses cheveux 2 fois par semaine et vient au Centre, 3 fois par an, pour des visites de contrôle. Les repousses compensent bien les cheveux qui tombent. S'il reste très vigilant, il gardera la quasi-totalité de sa chevelure actuelle.

**Samy, 24 ans,
(stade 2 b)**

Forte réceptivité aux androgènes, lourde hérédité du côté paternel, chevelure déjà très clairsemée sur le devant. Lorsqu'il nous consulte, Samy n'a jamais traité ses cheveux : son entourage lui ayant dit qu'il n'y avait pas grand-chose à faire, il pense sa calvitie inéluctable. La chute a été abondante à l'adolescence, puis s'est stabilisée vers 20 ans. Samy a même cru qu'elle était terminée. Aujourd'hui, il ne voit plus ses cheveux tomber, mais il constate que son crâne continue de se dégarnir. Un ami lui a conseillé de consulter, « juste pour voir et essayer de comprendre ».

Notre diagnostic. Le test de traction confirme l'absence de chute ponctuelle. L'examen du cuir chevelu présente des zones d'irritation et d'épaississement et montre que les deux tiers des follicules pileux sont vides et presque tous morts sur le devant. Le tiers restant fournit des cheveux sains et de calibre identique à ceux de la couronne. L'état général est satisfaisant : sport régulier, stress bien géré. Mais l'alimentation, végétarienne, est mal équilibrée : trop de sucres et de lait de soja.

Nous décrivons à Samy le potentiel d'évolution de sa calvitie, s'il ne fait rien. Vraisemblablement, il n'aura plus du tout de cheveux sur le devant à 40 ans et sera chauve vers 50 ans. Par contre, si nous arrivons à maintenir l'activité des fonctions circulation et élimination, les follicules pileux étant normalement irrigués, cela nous permettra de stopper l'extension de l'alopécie.

Le plan de traitement. Stimulation locale des fonctions vitales,

2 fois par semaine, pendant 6 mois. Visites de contrôle au Centre, tous les 2 mois. Le régime alimentaire doit aussi être surveillé, pour compenser le manque en oligo-éléments et en acides aminés soufrés : consommer plus de riz, de blé complet, de crudités et moins de soja.

Évolution. Après 6 mois, le cycle vital a pu être remis en place et les repousses ont recommencé à remplacer normalement les cheveux, au fur et à mesure que ceux-ci tombaient. Encouragé par ces premiers résultats, Samy poursuit maintenant son traitement, par deux cures d'entretien annuelles, à raison de 10 minutes par semaine, pendant 2 mois. Il est très attentif à son hygiène alimentaire et ne perd pratiquement plus ses cheveux, depuis bientôt 4 ans.

**Yann, 27 ans
(stade 2 a avancé)**

Les cheveux sont affinés, moins nombreux sur le devant et le sommet, les golfes sont marqués. Père et grand-père paternel ont gardé leurs cheveux, mais le grand-père paternel n'en avait plus beaucoup à 60 ans. Depuis son adolescence, les cheveux de Yann sont tombés de façon plus ou moins continue, peut-être un peu plus au printemps ou à l'automne. Il avoue être complexé par sa chevelure et avoir l'impression que tout le monde remarque sa calvitie naissante. Mais il n'ose en parler à personne et, les rares fois où l'un de ses proches a essayé d'aborder le sujet, il a toujours éludé la question. Discrètement, presque en cachette, il a suivi un traitement de minoxidil, il y a 2 ans, pendant 8 mois. Pas de résultat, mais une forte irritation du cuir chevelu.

C'est un article de magazine qui a décidé Yann à tenter un nouveau traitement. Depuis 1 an, vitamine B, compléments alimentaires et différentes lotions antichute ont été essayés. Il n'a pas noté d'amélioration significative.

Notre diagnostic. Au test de traction, les cheveux tombent trop, et ceux que l'on recueille sont de calibres très différents. L'examen du cuir chevelu et l'analyse microscopique confirment un bon état général : alimentation correcte, assimilation convenable. En revanche, les fonctions vitales sont désorganisées : le sébum est trop sollicité, son élimination est insuffisante et la circulation déficiente. D'où atrophie progressive des follicules situés sur les zones fragiles.

Le plan de traitement. Il sera local et s'étalera sur 6 mois, avec réajustement tous les 2 mois. Il s'agit d'abord de rééquilibrer les trois fonctions, de les rééduquer ensuite et de les renforcer, afin de réinstaller la vitalité des follicules pileux.

Évolution. La chute s'est ralentie après 3 mois, elle a pratiquement disparu, dans les semaines qui ont suivi. Vers le cinquième mois, les repousses ont été plus vigoureuses et ont commencé à redonner du volume à la chevelure. Yann s'est pris en charge à un moment où il était encore possible d'agir efficacement, il sait néanmoins que le terrain est fragile et qu'il doit rester attentif à ses cheveux. Les résultats acquis ne sont pas définitifs, des cures d'entretien régulières sont indispensables à leur maintien.

Au niveau des tempes, les deux golfes sont déjà très creusés et, sur le sommet du crâne, un début de tonsure est en formation. La chute s'est d'abord faite par à-coups, de l'adolescence jusqu'à 25 ans environ. Elle s'est ralentie depuis, mais ne s'est toujours pas stabilisée. Père, oncles et grands-parents sont très dégarnis. Le shampooing est fait deux fois par semaine, mais les cheveux sont gras dès le lendemain. Le cuir chevelu est épais et légèrement irrité. Un traitement de minoxidil, en cours depuis 18 mois, vient d'être arrêté. Un trichogramme récent indique que trop de cheveux sont en phase de repos.

Notre diagnostic. Le test de traction confirme une chute importante, et notre diagnostic précise les résultats du trichogramme. Les cheveux ont commencé à diminuer en quantité et en diamètre depuis quatre cycles, sur les zones dégarnies. La majorité des follicules pileux vides sont morts, seuls 15 % d'entre eux pourront produire à nouveau des cheveux. 20 % des repousses sont courtes et fines : elles sont dues au minoxidil et pourront être stimulées et grandir normalement. Au total, Stéphane devrait récupérer 35 % de ses cheveux.

Le plan de traitement. Premier mois : massages et applications locales d'extraits de plantes, pour rééquilibrer les fonctions vitales, assouplir le cuir chevelu et fortifier les repousses. Du deuxième au sixième mois : réajustement des soins précédents et reprise du minoxidil, 5 fois par semaine. Compléments par voie orale : Vitamines B 5, B 6 et B 8, méthionine et zinc. Les mois qui suivent : Le minoxidil est poursuivi à la même fréquence, les autres applications une fois par semaine. Le traitement oral est maintenu 2 fois par an, pendant 2 mois.

Évolution. La chute s'est normalisée au bout de 4 mois, les nouvelles pousses attendues ont commencé à croître, les repousses dues au minoxidil ont allongé. Aujourd'hui, après 2 ans, le traitement reste le même : il est bien adapté, la chevelure garde la même densité.

Il ne les a jamais vraiment vus tomber et ne les a jamais traités non plus. Tout a été très progressif, très diffus, il ne se souvient pas de chute spectaculaire, même quand il était plus jeune. Pourtant, aujourd'hui, les résultats sont là : il reste un duvet sur le dessus de la tête, sec et dévitalisé, qui s'est installé peu à peu, à la place des cheveux.

Maintenant, la quarantaine passée, Frédéric a décidé de consulter. Il craint d'être chauve vers 50 ans, comme père et oncles. Peut-on faire quelque chose ?

Notre diagnostic. Oui, bien sûr. Nous faisons comprendre à notre interlocuteur qu'on ne lui rendra pas, sur le dessus, sa toison d'adolescent. Dans cette zone, beaucoup de follicules pileux sont morts, ceux qui contiennent encore un duvet sont trop atrophiés pour que l'on puisse espérer transformer celui-ci en vrais cheveux. Mais il peut facilement garder les cheveux qu'il a encore sur la tête et les améliorer.

Le plan de traitement. Il sera peu contraignant, mais devra être suivi régulièrement, à raison de 5 à 10 minutes, deux fois par semaine. Pour Frédéric, il s'agit surtout de débloquer les raideurs du cuir chevelu et de stimuler le flux sanguin. Des cures, également régulières, de vitamine B 3 (PP) aideront à la vascularisation des capillaires. Quant au régime alimentaire, il devra être plus contrôlé : un peu plus de bons lipides et d'aliments riches en vitamine A, moins de viande rouge. Et, si possible, moins de cigarettes.

Évolution. L'alopécie s'est stabilisée dès les premiers mois. Aujourd'hui, 5 ans plus tard, la calvitie n'a plus évolué, et ses cheveux se sont renforcés. Frédéric s'est avéré un adepte consciencieux et convaincu des traitements capillaires. Il passe deux fois par an au Centre pour des visites de contrôle et le renouvellement de ses produits. Il a deux jeunes fils, bientôt adolescents, et se promet de surveiller leur chevelure, « pour mettre toutes les chances de leur côté, dès le départ ».

12. chute androgénétique chez la femme

Elle est moins courante que chez l'homme, moins accentuée, et n'aboutit jamais à une calvitie totale. Elle est aussi beaucoup plus facile à maîtriser, pour peu qu'elle fasse l'objet d'un bon diagnostic et d'un traitement adapté, tant au niveau de la prescription des médicaments qu'à celui des soins locaux.

andro-génétique également

Issue, comme chez l'homme, d'une réaction anormale des cheveux aux hormones mâles androgènes et d'une prédisposition génétique à cette réaction, cette alopécie de la femme est dite andro-génétique également. En constante augmentation depuis 20 ans, on explique mal pourquoi cette prédisposition se transforme, aujourd'hui plus souvent qu'hier, en trouble déclaré.

Contrairement aux idées reçues, ce type d'alopécie féminine n'est pas uniquement liée à la ménopause : elle peut survenir à tout âge et débuter même très tôt. Au Centre Clauderer, l'éventail des 200 derniers cas traités, répartis selon les 3 grandes périodes biologiques de la femme, se présente ainsi :

Puberté	8 %
18-44 ans	62 %
45-65 ans (préménopause et ménopause)	30 %

Quel que soit l'âge où elle apparaît, l'alopécie androgénétique est en général encore plus mal vécue par les femmes que par les hommes. Parce qu'elle est moins courante, moins « acceptée » par la société, elle est parfois ressentie comme une véritable infirmité. L'impossibilité de se coiffer correctement, la perte progressive d'un atout de séduction vécu comme essentiel peuvent même conduire certaines femmes à un état d'anxiété grave. Une dimension psychologique à prendre très sérieusement en compte au cours du traitement.

Chute de cheveux et stress : le stress est en lui-même un facteur de chute extrêmement actif. Lorsqu'il vient s'ajouter à une alopécie déclarée, il ne peut que l'aggraver et accélérer le déséquilibre des trois fonctions vitales du cuir chevelu. Cette relation entre les états de forte tension nerveuse et la santé des cheveux correspond à une réaction psychosomatique bien connue qui sera étudiée plus en détail au chapitre 15.

les symptômes

Les formes les plus courantes : la chute se manifeste au début par un élargissement de la raie, et les cheveux deviennent plus fins. Le sommet du crâne s'éclaircit ensuite peu à peu, selon une évolution irréversible, si la personne concernée n'est pas traitée (schéma p. 129). Plus que de calvitie, il convient de parler de « dégarnissement », car, contrairement aux hommes, le sommet de la tête ne devient jamais complètement chauve. Les tempes, le front et les côtés sont également épargnés. Ce type de chute est souvent accompagné de séborrhée.

Comme chez les hommes, l'âge joue un rôle important dans le développement de cette alopécie. Normalement, moins la personne est jeune, plus l'évolution est lente. Si la perte des cheveux ne débute qu'au moment de la préménopause ou de la ménopause, le processus évolutif est insidieux. Souvent les femmes ne voient pas leurs cheveux tomber et ne prennent conscience de leur alopécie que par la diminution progressive de leur chevelure.

Plus rare et observée surtout chez des femmes en période de préménopause : diminution progressive de la densité capillaire et du diamètre des cheveux sur l'ensemble du cuir chevelu.

Plus rare également : l'alopécie présente, comme chez les hommes, un recul au niveau des tempes et de la ligne frontale. Le dégarnissement, même dans ces formes les plus sévères, ne dépasse jamais, chez les femmes, le stade 3 b de la classification des hommes (cf. chapitre précédent, p. 112 et 113)

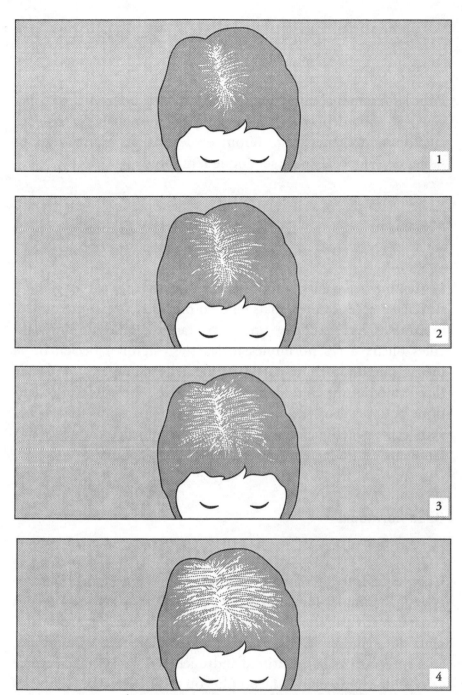

Évolution, la plus courante, de l'alopécie androgénétique de la femme

les causes

Pour les femmes comme pour les hommes, le cycle vital des cheveux est sous dépendance génétique et hormonale, et ce sont aussi les androgènes (testostérone et dérivés) les grands responsables de l'alopécie androgénétique féminine.

Mécanisme

Les femmes, elles aussi, produisent des androgènes par les glandes surrénales et les ovaires, mais en bien plus petite quantité que les hommes. Chez certaines, une trop grande réceptivité des follicules pileux à ces hormones mâles (testostérone) déclenche le mécanisme de la chute par l'intermédiaire d'une enzyme locale (lire le mécanisme chez l'homme, p. 117, le processus étant identique pour les deux sexes). Cette réceptivité particulière des cheveux étant génétiquement déterminée, la présence d'antécédents familiaux est un facteur important pour le diagnostic.

Bilan hormonal

Chez les femmes présentant les symptômes d'une alopécie androgénétique simple, les dosages sanguins de testostérone ne sont généralement pas supérieurs à la moyenne, et les bilans hormonaux donnent des résultats normaux. Comme chez les hommes, ce n'est donc pas la quantité d'androgènes sécrétés qui influence ce type de chute, mais la façon plus ou moins « vorace » dont les follicules pileux les captent et les absorbent localement. Lorsque le bilan hormonal indique un taux de testostérone trop élevé, l'alopécie peut s'accompagner d'autres manifestations : règles perturbées, peau grasse, pilosité abondante, poids excessif. C'est la consultation médicale qui révélera, le cas échéant, un problème ovarien ou surrénalien.

Jamais chauves

Le fait que les femmes ne deviennent jamais complètement chauves est dû à deux raisons. D'abord, leur production de testostérone circulant librement dans le sang est beaucoup plus faible que chez l'homme. Ensuite, les hormones féminines – *œstrogènes* et *progestérone* – entrent en compétition avec les androgènes pour en limiter l'action, au niveau du follicule pileux et de la glande sébacée. Ceci explique que la perte de ces hormones féminines, survenant au moment de la ménopause, rende certaines femmes plus sensibles à l'influence néfaste des hormones mâles, alors qu'elles n'avaient présenté aucun trouble auparavant. Cette carence peut être facilement compensée aujourd'hui par un traitement hormonal substitutif.

Ce que l'on explique mal

• Pourquoi, à partir d'une même cause, la réceptivité aux androgènes, l'alopécie féminine la plus courante présente des symptômes différents de ceux que l'on rencontre chez l'homme : perte « en éventail », localisée sur le dessus de la tête, chez la femme, et non pas sur les tempes et le front, comme chez l'homme.

• Pourquoi, sur certaines femmes présentant tous les symptômes d'une chute de cheveux androgénétique, les traitements hormonaux actuels restent sans effet. Ces traitements neutralisent bien l'enzyme responsable de la transformation de la testostérone, pourtant la chevelure continue à se dégarnir. N'y aurait-il pas d'autres hormones ou mécanismes impliqués ?

• Pourquoi cette chute de cheveux androgénétique est-elle parfois accompagnée d'une hyperpilosité sur le visage, autour des seins et sur l'abdomen. Ce qui, comme pour les hommes, revient à poser cette question : pourquoi les androgènes favorisent-ils la pilosité au détriment des cheveux ?

• Pourquoi, en cette fin de siècle, les femmes sont plus touchées par ce type d'alopécie que leurs mères et grands-mères. On accuse, sans véritable preuve, trois facteurs différents :

1. Les femmes travaillent de plus en plus et les nouveaux modes de vie sont générateurs de stress, ce qui constituerait un terrain favorable au développement de l'alopécie.

2. Le changement dans la qualité de nos aliments : terres cultivées aux engrais chimiques, produits appauvris en vitamines et en minéraux ; viandes et volailles élevées aux hormones...

3. Les pilules de première ou de deuxième génération (entre 1968 et 1984), à tendance androgénique, ont pu entraîner un déséquilibre, chez certaines femmes prédisposées, et conduire à la perte de leurs cheveux. Malgré l'arrêt de la contraception, le déséquilibre a pu s'installer et l'alopécie également.

En fait, tout se passe comme si ces nouveaux facteurs agissaient comme catalyseurs sur des alopécies latentes et venaient perturber un cycle vital génétiquement prédisposé aux troubles. Troubles qui ne se seraient peut-être pas déclarés en d'autres temps.

les questions
que vous vous posez

Contraception et chute. La pilule contraceptive peut-elle être responsable de la chute des cheveux ? Pour répondre à cette question, il faut toujours faire la distinction entre pilules de première et de deuxième génération, à tendance androgénique, et pilules de troisième génération, dont le progestatif est pratiquement dépourvu d'effet androgène (desogestrel, norgestimate, gestodène). Les premières peuvent avoir été à la genèse d'une alopécie chez certaines femmes prédisposées. Elles ont alors servi de déclencheur, mais n'en sont sans doute pas la cause profonde.

L'origine réelle viendrait plus vraisemblablement d'une réceptivité génétique aux androgènes, que la pilule n'a fait que révéler. Une fois installée, cette réceptivité peut se poursuivre, si elle n'est pas traitée. Surtout si, à tout cela, le stress vient ajouter un facteur supplémentaire de déséquilibre.

Grossesse et chute. Une perte notoire et subite de cheveux, après une grossesse, marque-t-elle le point de départ d'une alopécie androgénétique ? En principe, non. Cette sorte de perte est due à un processus hormonal différent et doit normalement se stabiliser d'elle-même, après quelques semaines (cf. chapitre 13).

Ménopause et chute. La ménopause est-elle responsable des chutes de cheveux qui débutent autour de la cinquantaine ? La réponse est : oui et non. La ménopause, c'est vrai, se définit par un bouleversement général et par l'arrêt des sécrétions hormonales. Les œstrogènes et la progestérone, on l'a vu, limitent l'action négative des hormones mâles au niveau des cheveux. Leur carence, si elle n'est pas compensée, peut donc avoir une influence sur la libre activité des androgènes.

Mais, le plus souvent, les alopécies de la ménopause sont le résultat d'un ensemble de facteurs et non d'un seul. Il y a le stress inhérent à cette période qui peut jouer un rôle important dans le processus de chute. Simultanément, si la femme concernée traverse des difficultés liées à sa vie privée, le stress sera encore renforcé, la chute aussi. Pour toutes ces raisons, la cinquantaine est un âge où les cheveux ont souvent besoin d'être rééquilibrés et stimulés.

le traitement hormonal

L'acétate de cyprotérone est le traitement hormonal de l'alopécie androgénétique de la femme, puisque c'est un antiandrogène. Il neutralise l'action de l'hormone DHT, en inhibant sa liaison au follicule pileux (cf. p. 117 et 118). Il est commercialisé sous le nom d'Androcur, médicament généralement bien toléré et dont les cures peuvent être renouvelées sous contrôle médical. L'efficacité thérapeutique de l'Androcur apparaît au quatrième mois du traitement et donne souvent de très bons résultats, lorsqu'il est complété par une action locale pour renforcer les fonctions vitales des cheveux.

L'acétate de cyprotérone peut aussi être prescrit sous forme de pilule : c'est Diane. Il peut enfin être prescrit en traitement substitutif de la ménopause : c'est Climène.

Androcur
Composition : cyprotérone acétate :
50 mg par comprimé. Sur ordonnance

Diane 35
Composition : cyprotérone acétate
et éthinylœstradiol, poudre microfine :
2 mg par comprimé. Sur ordonnance

Climène
Composition : cyprotérone acétate :
1 mgpar comprimé bleu. Sur ordonnance

Traitement hormonal par l'acétate de cyprotérone

Autre traitement hormonal. Le Progestosol, en applications locales (progestérone naturelle : 0,5 mg par flacon, alcool à 95 °). Peut aider à freiner la sécrétion de sébum. Ne pas appliquer plus de 3 fois par semaine, car risques d'irritation du cuir chevelu.

Virginie, 14 ans

Brune, méditerranéenne, chevelure mi-longue. Importante pilosité aux jambes et sur les bras. Les cheveux de Virginie sont gras, ils dégagent une odeur particulière et le cuir chevelu est recouvert de pellicules. Les cheveux sont lavés quotidiennement, avec un shampooing antipelliculaire 2 fois par semaine, un shampooing doux normal les autres jours. Virginie n'a pas remarqué de chute notable, elle a pourtant l'impression que le volume de sa chevelure diminue.

Notre diagnostic. Le test de traction ne révèle, en effet, aucune perte anormale. Sur le dessus de la tête, le cuir chevelu est épaissi, le tiers des cheveux environ sont beaucoup plus fins, et près de 20 % des follicules pileux sont inactifs, mais vivants. Sur les côtés, le manque est plus léger, l'arrière est normal. L'analyse au microscope indique une fonction sébum beaucoup trop sollicitée,

des racines surchargées de toxines, une élimination déficiente. D'où état pelliculaire et odeur désagréable, le shampooing contre les pellicules n'agissant pas sous le cuir chevelu, où s'accumulent les toxines sébacées. La kératine présente des altérations dans sa structure. Nous faisons part de nos conclusions à Virginie et à sa mère : le cuir chevelu est réceptif aux hormones mâles et la fonction élimination devra être régulièrement contrôlée et stimulée, afin d'assurer le renouvellement normal des cheveux. Lorsque Virginie prendra la pilule, elle devra signaler au gynécologue son problème capillaire, pour qu'il choisisse celle qui convient le mieux (Diane 35, si possible, pour ses propriétés anti-androgéniques). Avec un traitement local approprié, les cheveux qui manquent vont repousser, puisque leur follicule est toujours vivant. Les autres vont cesser de s'affiner, ils vont reprendre de la vitalité et graisseront moins rapidement. Mais ils garderont toujours une tendance séborrhéique, elle devra en tenir compte.

Le plan de traitement. Localement : 4 mois de massages et d'applications locales, à raison de 15 minutes, trois fois par semaine. Prévoir, par la suite, des cures d'entretien, qui ne prendront pas plus de 10 minutes, une fois par semaine. Sur le plan alimentaire : consommer moins de pâtisseries, de bonbons et autres sucreries, boire moins de sodas et plus d'eau. Manger plus de crudités et de fruits.

Évolution. Six semaines après, lors d'une première visite de contrôle, tout était rentré dans l'ordre : toxines et mauvaises odeurs avaient disparu, les tiges étaient mieux gainées, et Virginie pouvait rester 2 jours sans laver ses cheveux. Après 3 mois, les repousses se réinstallaient normalement. Aujourd'hui, Virginie a 19 ans, lorsqu'elle vient à Paris, nous contrôlons sa chevelure : aucune alerte depuis 5 ans.

Camille, 24 ans (stade 1)

Beaux cheveux, longs et châtains. Ils sont clairsemés sur le dessus et la raie s'est beaucoup élargie. Ils ont tendance à graisser rapidement et Camille doit les laver tous les 2 jours. Sa mère et sa grand-mère ayant perdu beaucoup de cheveux au fil des ans, elle s'inquiète du devenir de sa chevelure. Elle prend la pilule depuis 7 ans (pilule de deuxième génération), fait un peu de sport et surveille de près son alimentation. Pas de stress particulier, excepté au moment des examens. Avant de nous consulter, elle a suivi diverses cures de compléments alimentaires pour cheveux.

Notre diagnostic. L'ensemble des examens confirme la vraisemblance d'une forte réceptivité aux androgènes. La fonction sébum, trop sollicitée, entrave la circulation et l'élimination, ce qui induit l'atrophie progressive des racines et la perte des cheveux. Sur le sommet de la tête, environ 30 % des follicules pileux sont vides, et 10 % ne sont pas récupérables. Dans cette zone, les cheveux sont très affinés, certains ont perdu la moitié de leur calibre normal. Nous évaluons à deux cycles le début de la dégradation, ce qui correspond à peu près à la prise de pilule, laquelle a pu agir comme agent déclencheur.

Plan de traitement. Sur le plan local : durant 6 mois, tous les 4 jours et pendant 20 minutes, massages et applications de lotions, pour équilibrer le sébum, stimuler la circulation et l'élimination. Sur le plan hormonal, nous incitons Camille à prendre un rendez-vous avec son médecin, pour changer sa pilule et étudier la possibilité de suivre une cure d'acétate de cyprotérone (Androcur), associé à un traitement oral de cystine et de vitamine B 6.

Évolution. Camille a suivi nos conseils. Au bout de 6 mois, les nouveaux cheveux avaient déjà entre 3 et 6 cm. Ils allaient devenir suffisamment forts pour compenser ceux qui ne repousseraient plus. Aujourd'hui, 4 ans plus tard, sa chevelure évolue normalement. Connaissant la fragilité de ses cheveux et les raisons qui peuvent en perturber la croissance, Camille sait qu'ils auront tendance à se clairsemer au fil des ans, si leurs fonctions vitales se perturbent. C'est pourquoi elle les traite localement, deux fois par semaine, pendant 5 minutes. Depuis 3 ans, elle passe au Centre, une ou deux fois par an, pour une visite de contrôle.

Édith, 27 ans (stade 1)

Chevelure naturelle, blonde et ondulée jusqu'au milieu de dos. Auparavant, Édith ne s'était jamais occupée de ses cheveux, « parce qu'ils ont toujours été sans problème ». Mais, depuis 1 an, elle les perd de façon alarmante : environ 100 par jour et près de 400 lors des 2 shampooings hebdomadaires. Elle dit avoir une vie bien réglée, sans stress particulier. Côté héréditaire, son père est très dégarni et sa mère, depuis la ménopause, se plaint de ne plus avoir une chevelure aussi fournie qu'avant. Édith a consulté un dermatologue, il y a 10 mois : analyses de sang et bilans hormonaux étaient normaux. Elle suit un traitement de minoxidil depuis 8 mois et de vitaminothérapie depuis 3 mois.

Notre diagnostic. Forte chute confirmée par le test de traction. Perte d'égale importance sur le sommet et les côtés, moindre dans la nuque. 20 % des follicules pileux ne contiennent pas de repousses mais pourront être réactivés. 15 % présentent de très fines repousses, dues au minoxidil. Au microscope, les cheveux examinés ont une longueur suffisante pour permettre une remontée dans le temps. En les faisant glisser sous la lentille, nous constatons un brusque changement de forme, à 12 cm de la racine (pousse correspondant à 1 an environ). Là, la kératine se réduit de plus d'un tiers, les cheveux s'affinent, se hachurent, comme si l'on avait quitté une autoroute pour emprunter un chemin pédestre.

Étonnée, notre interlocutrice raconte : l'année dernière, une promotion importante l'a obligée à changer de ville et à s'éloigner de son milieu affectif. Elle croyait avoir bien surmonté le problème et n'a même pas songé à nous le mentionner lors de notre interview préliminaire. Nous expliquons à Édith que le stress occasionné par son changement de vie a sans doute agi comme facteur déclencheur sur un terrain fragile par nature. La façon dont la chute s'inscrit sur le cuir chevelu, les zones d'épaississement, la forme des racines sont autant d'indices qui laissent, en effet, supposer une prédisposition génétique au dérèglement du cycle vital.

Le plan de traitement. Il devra être intense les quatre premiers mois, pour rééquilibrer le système capillaire et enrayer la chute. Localement, nous recommandons 2 fois par semaine, pendant 30 minutes, des massages et applications de produits naturels appropriés. Il faudra, également, continuer le minoxidil, en diminuant très progressivement la fréquence d'application. Enfin, nous recommandons à Édith de consulter un phytothérapeute, pour une cure de vitamines, minéraux et oligo-éléments.

Évolution. La première analyse de contrôle a été faite par correspondance, après 2 mois. La chute était arrêtée depuis 1 semaine et le traitement a été réajusté. Le deuxième contrôle, réalisé au Centre au cinquième mois, a montré que les cheveux qui tombaient étaient maintenant normalement remplacés par des repousses de même vigueur. Le traitement a été poursuivi 2 mois de plus, au rythme d'une fois par semaine, pour renforcer les résultats acquis.

Isabelle, 46 ans (stade 2)

Cheveux bruns, coupés au carré, permanente légère deux fois par an. Légère séborrhée, shampooings fréquents, pas de brushing. Isabelle est une personne très active, elle vit dans un stress continu. Son alimentation est correcte. Mère d'un enfant de 11 ans, ses cheveux avaient commencé à trop tomber après son accouchement. À l'époque, elle avait suivi une cure de vitamines, et la chute s'était arrêtée. Depuis 18 mois, celle-ci s'est réinstallée progressivement, malgré un traitement de Bépanthène/Biotine, par injections et de magnésium par voie orale.

Notre diagnostic. Le test de traction confirme une chute anormale, sur le sommet de la tête. À cet endroit, il manque plus de 30 % des cheveux, ceux qui restent sont affinés, les plus faibles étant les plus récents. Les follicules pileux inactifs se répartissent en 2/3 récupérables, 1/3 irrécupérables.

À l'arrière et sur les côtés, les cheveux sont normaux, ainsi que leurs repousses. Isabelle présente tous les symptômes que l'on rencontre chez certaines femmes prédisposées aux troubles capillaires et arrivant en période de préménopause : dérèglement des trois fonctions vitales, atrophie progressive des racines, diminution de la densité capillaire sur le dessus de la tête.

Le plan de traitement. Localement, il va se faire en deux temps. Les trois premiers mois (à raison de 20 minutes, 2 fois par semaine), il faudra équilibrer le sébum et les deux autres fonctions, pour allonger la vie des cheveux et leur assurer une repousse normale. Les trois mois suivants (10 minutes, encore 2 fois par semaine) : nous renforcerons le fonctionnement des trois fonctions, pour rendre les follicules pileux moins réceptifs à l'action des androgènes.

Sur le plan hormonal, nous recommandons à Isabelle de consulter un endocrinologue. Celui-ci prescrira un traitement oral, antiandrogène (acétate de cyprotérone) et une cure d'acides aminés soufrés (Lobamine-Cystéine).

Évolution. L'association traitement local et traitement hormonal s'est avérée être très positive. La chute a diminué au bout de trois mois, les follicules inactifs, mais vivants, ont recommencé à produire des repousses. Après 5 mois, le cycle vital était à nouveau normal. Aujourd'hui, 5 ans après, Isabelle reste très attentive à l'évolution de ses cheveux : elle les traite une fois par semaine et fait une visite de contrôle, au Centre, tous les trimestres.

France, 56 ans (stade 3)

Cheveux auburn, colorés et secs, coupés court. Leur volume a beaucoup diminué depuis 10 ans et leur perte s'est accentuée depuis 1 an. France ne voit pas tomber ses cheveux, mais elle a de plus en plus de mal à masquer leur manque de volume. Lorsqu'elle vient au Centre pour la première fois, elle dit avoir tout essayé : minoxidil, vitamines et zinc, laser, ozone… Sur le plan hormonal, France a changé tout récemment de traitement. Elle prend maintenant une pilule de substitution, antiandrogène (Climène). Stress important généré par une vie difficile et par son problème capillaire.

Notre diagnostic. Au test de traction, on note une chute diffuse sur l'ensemble du cuir chevelu, plus marquée cependant sur le dessus du crâne. Dans cette zone, la chevelure s'est fortement éclaircie, il manque plus de 60 % des cheveux. Le cuir chevelu est desséché, les repousses, courtes, faibles et dévitalisées. La plupart des follicules sans cheveux sont inactifs depuis longtemps. Les autres, 20 % environ, sont atrophiés mais vivants : ils pourront être réactivés.

Nous remarquons d'autre part un manque de souplesse notoire du cuir chevelu, ainsi que de fortes tensions au niveau de la nuque. Deux symptômes qui contribuent à ralentir la microcirculation sanguine et l'élimination des toxines.

Le plan de traitement. Consulter un kinésithérapeuthe afin d'assouplir la nuque et le haut du dos. Prévoir également une cure de vitamines et d'oligo-éléments, pour aider à enrayer une fatigue nerveuse trop présente. Sur le plan local, massages quotidiens et applications de produits adaptés, 2 fois par semaine. Contrôles, toutes les 6 semaines, pour réajuster le traitement.

Évolution. Les progrès ne seront sensibles qu'au bout de 4 mois. La chute s'est alors normalisée, les cheveux ont cessé de s'atrophier et les repousses prévues ont commencé à faire du volume. Le traitement de départ sera poursuivi toute une année, l'ensemble des améliorations se renforçant au fil des mois. Aujourd'hui, France a 63 ans, ses cheveux gardent la même vitalité et se renouvellent normalement. Elle les entretient 10 minutes par semaine, avant son shampooing, et ne vient plus qu'une fois par an au Centre, pour faire vérifier la vitalité de son système capillaire.

13. chute de cheveux et grossesse

Chez certaines femmes, une perte abondante de cheveux peut survenir dans les deux à quatre mois qui suivent un accouchement, une IVG, une IMG ou une fausse couche. En cas d'allaitement, la chute sera retardée d'autant et ne débutera que quelques semaines après le sevrage.

les symptômes

Dans sa forme la plus sérieuse, la perte des cheveux peut aller jusqu'à 25 ou 30 %. Celle-ci commence brutalement, s'accentue pendant une quinzaine de jours, puis régresse peu à peu. Il est traditionnellement admis que tout revient dans l'ordre au bout de 6 à 8 mois.

Cette perte impressionnante peut se produire dès le premier enfant et se répéter à chaque nouvelle naissance. Il faudrait toujours traiter les chutes sérieuses de cheveux, après un accouchement : même si le cycle vital reprend son équilibre naturel dans l'année qui suit, notre expérience montre que les cheveux peuvent ne pas être tous remplacés chez les femmes dont le cuir chevelu est génétiquement prédisposé et fragile. Quand il y a plusieurs grossesses, la chevelure se dégarnit alors progressivement et ne retrouve jamais son volume initial.

les causes

Ici, le dérèglement du cycle vital a pour origine le bouleversement hormonal qui s'opère dans l'organisme de toute femme enceinte. Bouleversement au cours duquel une augmentation massive des œstrogènes prolonge la phase de croissance des cheveux et stimule leur croissance. Beaucoup de femmes disent d'ailleurs n'avoir jamais de si beaux cheveux que lorsqu'elles sont enceintes. Après l'accouchement, au contraire, la perte brutale de ces œstrogènes « temporaires » entraîne, chez certaines, un nombre important de cheveux à passer, ensemble, en phase télogène. D'où leur chute simultanée, 2 à 4 mois plus tard. Le même phénomène peut être observé à l'arrêt d'un contraceptif à fort dosage œstrogénique.

quelques exemples

Julie, 23 ans

Coupe au carré, cheveux ondulés et naturels, châtain doré. Julie est mère d'une petite fille de 1 an, qu'elle a allaitée les trois premiers mois. Elle nous consulte pour une chute importante de cheveux qui a débuté 7 mois auparavant : plus de 150 par jour, 200 à 300, lors des shampooings, tous les 4 jours. Selon ses calculs, elle en aurait perdu près de 30 000 et cette idée lui est intolérable : elle dit faire des cauchemars de cheveux, être proche de la dépression. La naissance ? Tout s'est bien passé, mais, à 3 mois, son bébé a été très malade, et Julie a « vécu un enfer pendant quelques semaines ». Heureusement, tout est rentré dans l'ordre aujourd'hui et son enfant est totalement sorti d'affaire.

Depuis le début de la chute, Julie suit un traitement à base de vitamines B. Elle ne prend pas de pilule et ses analyses de sang sont normales. Faibles antécédents familiaux.

Notre diagnostic. La chute est diffuse, localisée sur le sommet mais également sur les côtés, où de minuscules plaques glabres se juxtaposent. Ces plaques correspondent à un manque de 6 ou 7 cheveux, chaque fois. Les repousses sont faibles et partielles, mais presque tous les follicules pileux sont encore vivants. Au microscope, d'autre part, chaque cheveu examiné indique une modification de la kératine, inter-

venue 5 mois auparavant et correspondant à la période où son bébé était malade. Nous faisons part de nos conclusions à Julie : la chute a été déclenchée, par la baisse soudaine des œstrogènes, après l'allaitement. Elle a ensuite été renforcée par le stress important, éprouvé lors de la maladie de son bébé. Un stress qui n'a toujours pas disparu, ses cheveux le disent clairement.

Le plan de traitement. Rien n'est irréparable, mais il faut agir vite. Pour stopper la chute et stimuler les repousses, nous recommandons à Julie un traitement local intensif, pendant 3 mois, à raison de 25 minutes, 2 fois par semaine. Les soins comprennent plusieurs massages que nous lui enseignons et l'application de différents produits. Nous lui conseillons également de consulter un psychologue, pour atténuer son angoisse et prendre du recul par rapport aux événements qui ont provoqué cet état. Celui-ci prescrira un traitement oral pendant quelques semaines.

Évolution. Après 2 mois, la chute a cédé, et les repousses ont commencé à revenir normalement.

Dans l'année qui a suivi, Julie est passée 2 fois au Centre, pour s'assurer de la stabilité des résultats.

Géraldine, 32 ans

Cheveux bruns, longs et épais. Lorsqu'elle vient au Centre, Géraldine a accouché de son troisième enfant, 5 mois auparavant. Depuis quelques semaines, elle perd ses cheveux de façon très anormale. Elle les retrouve partout, dit-elle, « sur l'oreiller, sur mes vêtements, dans la salle de bains, et plus de 300, au moment des shampooings, 2 fois par semaine ». Lors de la naissance du premier enfant, Géraldine ne se souvient pas avoir eu de problème capillaire particulier. Mais déjà, après la naissance du deuxième, ses cheveux étaient tombés en trop grande quantité. Elle avait alors suivi une cure de vitamines et la chute s'était arrêtée. Ce qui l'inquiète aujourd'hui, c'est que la même cure, reprise depuis 8 semaines, ne semble avoir aucun effet.

Notre diagnostic. Au test de la traction, les cheveux tombent effectivement beaucoup. Ceux qui étaient tombés lors de la naissance précédente ont, pour la plupart, bien repoussé. Par contre, un grand nombre de follicules pileux sont vides, sur le sommet et les côtés : ils correspondent à la chute actuelle et sont donc encore vivants. Le cuir chevelu présente des zones de tension sur les tempes, des zones d'épaississement sur le sommet. Au microscope, les racines apparaissent affaiblies et la kératine indique, à l'évidence, une circulation déficiente, un manque de minéraux et une grande fatigue. Les conclusions de notre diagnostic sont claires : la chute a été déclenchée par la perte des œstrogènes, après l'accouchement, elle est aggravée et entretenue par un organisme très affaibli.

Le plan de traitement. Nous avons conseillé à Géraldine de consulter son médecin. Des analyses de sang ont alors confirmé un manque en fer, calcium et magnésium, et un traitement supplétif a aussitôt été prescrit. Le traitement vitaminique, lui, a été renforcé par des acides aminés soufrés (Lobamine, Cystéine). Sur le plan local, nous avons vivement recommandé à Géraldine d'entreprendre des soins pour stimuler la repousse des cheveux. Mais Géraldine est trop prise par ses enfants, pour prendre le temps de s'occuper d'elle-même. Elle ne veut pas s'engager, elle verra d'ici quelques mois.

Nouveau diagnostic. Nous avons revu Géraldine 1 an plus tard. La chute s'était normalisée, après 4 mois de vitaminothérapie. Les repousses étaient maintenant bien présentes, la plupart ayant entre 5 et 8 cm. Mais elles étaient plus fines, et 20 % des cheveux tombés n'avaient toujours pas été remplacés.

Plan de traitement et évolution. Nous expliquons à Géraldine qu'il faut environ 3 mois de traitement local pour stimuler les fonctions circulation et élimination, et réinstaller des repousses vigoureuses. Elle devra consacrer à ses cheveux deux fois 20 minutes de son temps, chaque semaine. Le fera-t-elle ? Oui, cette fois, elle est bien décidée à se prendre en main. Résultats : après 2 mois de soins, les fonctions vitales étaient rééquilibrées, et les repousses normales étaient vérifiables dès le troisième mois.

Aline, 36 ans

Cheveux blond foncé, courts et frisés naturellement. Séborrhée nécessitant de fréquents shampooings. Lorsque nous la voyons pour la première fois, Aline est enceinte de 5 mois, elle attend son deuxième enfant. Après le premier accouchement, il y a 3 ans, ses cheveux sont beaucoup tombés, pendant quelques semaines, et sont, depuis, plus difficiles à coiffer. Sa sœur aînée ayant connu les mêmes problèmes, lors de ses différentes grossesses, Aline craint une nouvelle dégradation de sa chevelure et nous consulte préventivement.

Notre diagnostic. Les signes enregistrés sur la racine et la kératine des cheveux indiquent une prédisposition à l'alopécie androgénétique. Même si la grossesse apporte actuellement un surcroît d'œstrogènes, le renouvellement du cycle vital n'est, malgré tout, pas totalement satisfaisant : sur le dessus de la tête, environ 30 % des cheveux sont plus fins que ceux situés à l'arrière ou sur les côtés ; la fonction sébum et la fonction élimination, trop sollicitées, n'assurent pas pleinement leur rôle.

Le plan de traitement. Jusqu'à l'accouchement : traitement local, à raison de 10 minutes tous les 2 jours, pour équilibrer les fonctions vitales. Reprise du traitement 15 jours après la naissance et pour 3 mois. Parallèlement, il serait alors souhaitable de prévoir un traitement oral, associant cystine et vitamine B 6. Nous prévenons Aline que quelques semaines après son accouchement elle perdra sans doute des cheveux, comme pour son premier enfant. Mais, cette fois-ci, son cuir chevelu sera mieux armé et les repousses seront normales.

Évolution. Comme prévu, une chute ponctuelle est survenue 2 mois après la naissance. Elle a duré une vingtaine de jours, puis a diminué progressivement. A l'arrêt de la chute, Aline est venue pour une première visite de contrôle. Nous l'avons rassurée : les repousses équilibraient les pertes et leur épaisseur était satisfaisante. Aline a décidé de poursuivre son traitement local par une cure d'entretien, qui ne lui demandera pas plus de 10 minutes par semaine et permettra de garder le volume actuel de sa chevelure. Aujourd'hui, 3 ans plus tard, le renouvellement de ses cheveux continue de se faire normalement.

14. chute et glande thyroïde

La thyroïde est une glande située à la base du cou qui peut, elle aussi, être à l'origine d'une perte anormale de cheveux. Ce type de chute, due à une insuffisance de sécrétion hormonale (hypothyroïdie), ou, au contraire, à un excès de sécrétion (hyperthyroïdie), reste beaucoup moins fréquente que les alopécies provoquées par les hormones androgènes, décrites dans les chapitres précédents. Elle se rencontre plus souvent chez la femme que chez l'homme.

les symptômes

Hypothyroïdie. Les cheveux deviennent secs et cassants, ils ont tendance à s'affiner, et leur vitesse de croissance se ralentit. La chute s'installe de façon diffuse et progressive. Parallèlement, les sourcils deviennent clairsemés et perdent leur pointe.

Hyperthyroïdie. (troubles très rares au niveau du système capillaire) : les cheveux s'affinent, la chute s'installe peu à peu sur l'ensemble du cuir chevelu.

Dans les deux cas, la perte des cheveux se stabilise si le dérèglement thyroïdien a pu être identifié et traité en conséquence. Mais un traitement local sera indispensable pour rééquilibrer et stimuler le cycle vital des cheveux.

les causes

Les hormones sécrétées par la glande thyroïde jouent un rôle important dans le déroulement du cycle vital des cheveux en maintenant les follicules pileux en phase de croissance. Une sécrétion thyroïdienne insuffisante, ou excessive, a pour conséquence une augmentation du nombre de follicules en phase de repos, ce qui provoque un accroissement de la chute.

un exemple

Sylvie, 44 ans

Cheveux ternes, coupés court, blond vénitien. Les cheveux de Sylvie poussent très lentement, leur chute est continue depuis plus de 4 ans et elle a maintenant du mal à cacher la peau de son cuir chevelu. Sylvie suit un traitement contre l'hypothyroïdie depuis 8 mois et se fait faire des injections de Bépanthène et Biotine pour ses cheveux, 2 fois par an. Mais la chute continue.

Notre diagnostic. Le test de la traction confirme une chute diffuse, un peu trop importante, sur l'ensemble de la tête. Les cheveux sont clairsemés, près des 2/3 ont disparu, et seulement 20 % des follicules pileux vides pourront être réactivés. Les repousses sont rares, fines et sans vitalité. Le cuir chevelu, pourtant mobile, est particulièrement épais. L'examen des cheveux au microscope met aussi en évidence une tendance à la dépression. Nous précisons notre diagnostic à Sylvie : la chute devrait s'arrêter d'elle-même, d'ici 1 ou 2 mois, sous l'action du traitement thyroïdien. Il est cependant indispensable d'entreprendre des soins locaux : les fonctions vitales de son cuir chevelu sont trop déficientes et ne pourront se réinstaller toutes seules, même après disparition du trouble qui a provoqué leur ralentissement.

Le plan de traitement. Massages quotidiens (10 minutes), accompagnés d'applications de produits adaptés, 2 fois par semaine. Le tout pendant 4 mois, pour permettre aux repousses d'atteindre une taille suffisante et de créer un nouveau volume.

Évolution. Comme prévu, la chute s'est normalisée au bout de quelques semaines. Grâce au traitement local, les repousses ont pu être fortifiées, et la chevelure de Sylvie paraissait plus volumineuse, à la deuxième visite de contrôle, 4 mois après le début des soins. Aujourd'hui, 2 ans ont passé, Sylvie continue un traitement d'entretien, qui ne lui prend pas plus de 10 minutes par semaine, avant son shampooing. Ses cheveux sont sains et poussent normalement.

15. chute progressive liée au stress

Une chute de cheveux, provoquée par un état d'anxiété permanente, ne survient généralement pas par hasard. La plupart du temps, d'autres troubles : insomnies, fatigue, ralentissement de la mémoire et de l'activité, problèmes digestifs... accompagnent les symptômes capillaires décrits ci-dessous.

Lorsque l'un (ou plusieurs) de ces troubles généraux peut être identifié au moment du diagnostic, il renforce les conclusions de l'examen du cuir chevelu.

les symptômes

La caractéristique de cette alopécie réside dans l'aspect très particulier que le cuir chevelu présente à l'examen. Aux endroits où les cheveux sont tombés, celui-ci est comme parsemé de minuscules trous, correspondant à une perte de 3 à 5, voire 7 cheveux.

Localisation. Chez l'homme, la chute se situe sur les golfes frontaux, le dessus de la tête, mais également sur les côtés, là où d'ordinaire la couronne reste intacte. Chez la femme, la chute se localise plus particulièrement sur les côtés, mais elle apparaît également sur le dessus de la tête.

Rythme de la chute. Il est très variable, suivant les individus :

• Pour certains, la chute arrive par à-coups successifs, chaque poussée durant entre 3 et 6 mois.

• Chez d'autres, au contraire, la perte est régulière, un peu plus importante que la normale et étalée sur plusieurs années. Il y a de courtes périodes de rémission.

• Pour d'autres encore, les cheveux tombent sans excès, mais ils repoussent plus fins ou pas du tout.

Fonctions vitales. Un dérèglement de la fonction circulation entraîne un affinement des cheveux (très prononcé sur les côtés, pour la femme). Souvent, la fonction sébum est également déréglée et les cheveux sont trop gras. Enfin, la fonction élimination est toujours perturbée, ce qui provoque parfois des pellicules et favorise aussi l'action négative des androgènes sur le cuir chevelu.

les causes

Ce type de chute est dû à une réaction psychosomatique, provoquant une augmentation de la production d'androgènes par les glandes surrénales et une réceptivité hormonale considérablement accrue, chez les sujets sensibles au stress. Selon un méca-nisme identique à celui de l'alopécie androgénétique, ce dérègle-ment entraîne une accélération de la phase anagène et un affai-blissement progressif du follicule pileux. D'autres hormones, qui n'ont pu encore être identifiées, pourraient être impliquées.

origine ou conséquence ?

Quelle que soit l'hormone responsable, lorsqu'une dépression ou un stress est à l'origine d'une chute de cheveux, cette chute entraîne généralement une aggravation des problèmes psy-chiques, lesquels entraînent à leur tour une aggravation de la chute. Le cycle devient vite infernal, et rapidement on ne sait plus où situer l'origine par rapport à sa conséquence, où se trou-ve le facteur déclencheur par rapport au facteur aggravant.

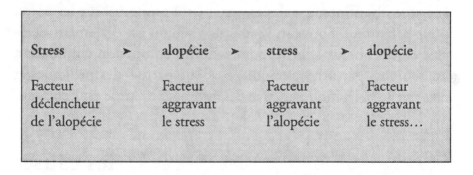

Stress ➤	alopécie ➤	stress ➤	alopécie
Facteur déclencheur de l'alopécie	Facteur aggravant le stress	Facteur aggravant l'alopécie	Facteur aggravant le stress…

La même question se pose d'ailleurs dans le cas des alopécies à prédisposition héréditaire. Une alopécie androgénétique peut rester à l'état latent et ne se déclarer qu'à l'occasion d'un stress particulier (préparation d'un concours, perte d'un emploi, etc.).

Une fois le processus en marche, il ne s'arrête plus, s'il n'est pas traité.

Nous avons aussi remarqué qu'une chute androgénétique déclarée se trouve souvent renforcée par la tension, voire l'obsession, que provoque chez certains le spectacle de la perte de leurs cheveux. Une tension qui augmente la chute, qui augmente le stress, qui augmente la chute... Comme dans le schéma précédent : réaction en chaîne, même si le point de départ est différent.

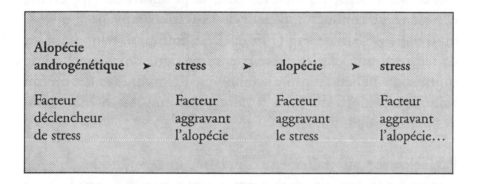

Alopécie androgénétique	➤	stress	➤	alopécie	➤	stress
Facteur déclencheur de stress		Facteur aggravant l'alopécie		Facteur aggravant le stress		Facteur aggravant l'alopécie...

chute de cheveux et psychisme

Ce n'est pas un hasard s'il existe une telle interaction entre le psychisme et la chute des cheveux. La chevelure, partie importante du visage, fait directement appel à la représentation que nous nous faisons de nous-mêmes. Certains s'en accommodent, d'autres ne peuvent assumer cette perte, vécue comme une transformation profonde de leur être. Les troubles qui en découlent peuvent être graves, parfois démesurés par rapport à la chute elle-même. Certaines femmes disent se sentir comme « dépossédées d'une partie d'elles-mêmes... », ne pouvoir surmonter « cette désagrégation sournoise de leur corps... ». Elles parlent de « pourriture, d'impression morbide... ». Ces troubles psychiques constituent souvent un appel à l'aide, les cheveux n'étant que le symbole d'un mal-être plus profond que le désarroi qu'ils occasionnent.

Et puis, il y a le regard de l'autre... En renvoyant au sujet concerné une image de lui-même qu'il se représente comme altérée, les problèmes de cheveux sont aussi très liés à la séduction. Saine, la chevelure est essentiellement maniable, elle parfait la beauté, dissimule les défauts, exprime la santé, la personnalité. Appauvrie, elle est vécue comme un facteur de castration, suivant la théorie du freudien Charles Berg (1950). C'est pourquoi, selon lui, tant de religions utilisent les cheveux comme signe de chasteté ou de soumission à Dieu : tonsure symbolique des moines et des prêtres catholiques, kippa des juifs et calotte des musulmans, tête rasée des bonzes bouddhiques...

Parallèlement au traitement capillaire, une psychothérapie de soutien est fortement conseillée pour tous ceux qui lient la perte progressive de leurs cheveux à celle de leur identité. En réduisant l'obsession de la chute, tout travail au niveau du psychisme pourra aider à l'enrayer.

quelques exemples

Alain, 28 ans

Chevelure blonde et ondulée, dense sur le pourtour de la tête, très clairsemée ailleurs. Forte séborrhée. La première chute importante est survenue lorsque Alain avait 20 ans. Au bout de 1 an, celle-ci a paru se stabiliser, mais la chevelure a continué de se dégarnir peu à peu. Depuis 18 mois le processus s'est à nouveau intensifié : actuellement Alain perd près de 150 cheveux, au moment du shampooing quotidien. Alain a consulté plusieurs dermatologues en 8 ans. Il a d'abord tenté le minoxidil pendant près de 1 an, puis a dû arrêter les applications, à cause d'irritations provoquées sur son cuir chevelu. À un autre moment, il a suivi une cure de Roaccutane, pour soigner sa séborrhée : efficace uniquement pendant la durée du traitement. Aujourd'hui, il prend continuellement des vitamines importées des USA et avoue vivre dans un stress permanent. Du côté de l'hérédité, pas grand-chose à signaler : Alain appartient plutôt à une famille de « chevelus ».

Notre diagnostic. Présence de pellicules grasses sur l'ensemble du cuir chevelu. Le dessus de la tête est recouvert de cheveux très affinés ou de duvet, les repousses sont insuffisantes et seulement 20 % des follicules pileux vides pourront être réactivés. Sur les côtés, le cuir chevelu est parsemé de petits trous, où manquent, chaque fois, 5 ou 6 cheveux :

signe révélateur d'une alopécie fortement liée au stress. L'analyse microscopique des racines et de la kératine confirme un état d'anxiété chronique.

Le plan de traitement. Nous expliquons à Alain comment nous allons rétablir les fonctions vitales et le cycle de renouvellement de ses cheveux. Pour diminuer la fonction sébum et neutraliser les toxines responsables de la chute, les massages et l'application des produits locaux devront être fréquents et réguliers. Nous insistons sur la fréquence, car, une fois éliminées, les toxines se reforment sous 48 heures. En traitement d'attaque, il faut donc prévoir des séances de 5 minutes tous les 2 jours et une demi-heure 2 fois par semaine. Nous prévenons Alain : la chute devrait s'atténuer dès le deuxième mois du traitement, mais elle ne pourra se régulariser sans certaines modifications dans son hygiène de vie. Un sport régulièrement pratiqué est indispensable, pour augmenter sa fatigue physique et affaiblir son anxiété. Il devra aussi revoir son régime alimentaire, consommer moins de sucre et de viande rouge.

Évolution. Les progrès se sont présentés de la façon suivante... après 6 semaines, la séborrhée était moins forte, la chevelure plus brillante. Au quatrième mois, les duvets se sont transformés en petits cheveux de 3 cm, la chute a commencé à régresser sérieusement. Elle ne se régularisera totalement que 2 mois plus tard. À la fin du huitième mois, la chevelure avait épaissi sur les zones concernées. Les progrès maximum étaient atteints après 1 an. Alain a compris qu'il pouvait maintenir sa chevelure en l'état actuel et cela le rassure. Nous le revoyons 4 fois par an, au Centre, pour des visites de contrôle. Il a pris l'habitude de consacrer 10 minutes de son temps, 2 fois par semaine, à ses cheveux.

Béatrice, 31 ans

Cheveux châtains, courts et fins. Ils sont ternes et clairsemés. Béatrice raconte : ses cheveux tombent depuis la puberté, elle est désespérée et ne sait plus quoi faire. À 15 ans, ses cheveux étaient très gras, elle les lavait tous les jours. À 25 ans, elle a dû changer de coiffure et ramener tous ses cheveux en avant, « pour ne plus voir son crâne ». Deux ans plus tard, elle a eu un bébé, ses cheveux sont tombés un peu plus, mais ils ont bien repoussé, grâce à un traitement de vitamines et de fer. Depuis la naissance de son enfant, elle suit 2 cures annuelles de vitamines B 5, B 6 et B 8. Il y a 1 an, elle a commencé le minoxidil. Un trichogramme a fait apparaître une diminution de la chute, après 6 mois, mais celle-ci s'est renforcée ensuite.

Les antécédents familiaux ? Oui sa mère est clairsemée, mais pas autant qu'elle. Quant à la pilule, elle ne l'a jamais prise, par peur d'augmenter la perte de ses cheveux. Elle préfère le stérilet, bien supporté.

Notre diagnostic. Les cheveux qui manquent, sur le sommet de la tête et sur les côtés, correspondent aux 2/3 de la chevelure d'origine. Les fonctions sébum et élimination sont déséquilibrées depuis de nombreux cycles, les repousses sont fines et insuffisantes. Dans les zones dégarnies, la plupart des follicules pileux sans cheveux ont disparu et sont regroupés en pastilles irrégulières. Autant de symptômes qui nous permettent de comprendre le mécanisme de cette alopécie et de décider du traitement qui pourra la neutraliser.

Nous expliquons à notre interlocutrice les données du problème : son cuir chevelu présente une forte réceptivité aux androgènes, réceptivité entretenue et renforcée par le stress qu'elle engendre. Les trois fonctions vitales sont totalement déréglées, et seul un traitement local approprié, en association avec un traitement interne, va pouvoir les rééduquer, puis les renforcer.

Le plan de traitement. Il faut agir sur plusieurs fronts à la fois : d'abord, consulter un endocrinologue et étudier la possibilité de suivre un traitement antiandrogène (Androcur). Pour le traitement local : massages et applications de produits, 2 fois par semaine, pendant 6 mois. Prévoir environ 25 minutes par séance et venir tous les mois au Centre, pour un contrôle et le réajustement des produits, si besoin est.

Évolution. Béatrice s'est sentie prise en charge, notre optimisme lui a redonné une certaine confiance et elle a suivi à la lettre notre plan de traitement. Au bout de 3 mois la chute a commencé à diminuer, et les cheveux à se gainer, sous l'effet combiné des soins locaux et de l'Androcur. À partir du cinquième mois, les repousses étaient correctes et le volume de la chevelure ne cessait d'augmenter. Consciente de l'équilibre précaire de ses cheveux, Béatrice a alors décidé de continuer un traitement au long cours, à raison de 15 minutes, une fois par semaine. Aujourd'hui, après 3 ans, elle consulte son endocrinologue une fois par an, pour des cures régulières d'Androcur. Elle vient aussi tous les trimestres au Centre pour une visite de contrôle et le renouvellement de ses produits.

Richard, 48 ans

Cheveux fins, poivre et sel. Richard nous dit vivre dans un état dépressif depuis plusieurs années et ne pouvoir tenir qu'avec l'aide d'antidépresseurs et de divers somnifères. Il perd ses cheveux, de façon continuelle, depuis 2 ans, ce qui n'avait jamais été vraiment le cas auparavant. Actuellement la chute se situe autour d'une centaine de cheveux par jour, mais il ne s'est pas « amusé à les compter ».

Il nous consulte sur les conseils insistants de sa femme, parce que aucun traitement, jusqu'ici, n'a pu résoudre son problème capillaire. Diverses cures de vitamines B n'ont apporté que des améliorations passagères et le minoxidil, utilisé pendant quelques mois, n'a pas donné de résultats bien tangibles. De toute façon, Richard trouve le traitement trop astreignant et ne veut plus en entendre parler.

Notre diagnostic. Les cheveux sont très clairsemés aux tempes, sur les côtés et le pourtour des oreilles. L'examen de la chevelure et du cuir chevelu confirme les symptômes habituels d'une chute liée au stress, les repousses sont fines et peu nombreuses, mais 25 % des follicules vides sont encore vivants et pourront être réactivés.

Le plan de traitement. Nous expliquons à Richard comment vont agir les traitements locaux : nous pouvons équilibrer et renforcer les fonctions circulation et élimination, de manière à fortifier les repousses existantes et à générer de nouvelles pousses dans les follicules pileux encore vivants. Nous précisons que nous ne pouvons que ralentir la chute. Pour la stopper, il faudra une amélioration de son état général, en plus du traitement local. Nous lui expliquons également que nous avons besoin d'une participation active de sa part, et que la réussite du traitement dépendra en grande partie de la régularité qu'il apportera à ses soins.

Richard s'engage à traiter ses cheveux 2 fois par semaine, pendant 4 mois, et à passer au moins 2 fois au Centre, pendant cette période, afin que nous contrôlions l'évolution de ses cheveux.

Évolution. Deux mois après, à la première visite de contrôle, les repousses existantes s'étaient fortifiées, elles avaient allongé et l'on commençait à en voir apparaître de nouvelles. Richard a trouvé ces premiers résultats encourageants et a promis de continuer le traitement au même rythme, même si la chute, elle, n'avait pas encore vraiment diminué. Au deuxième contrôle, à la fin du quatrième mois, la chute avait bien régressé et Richard a décidé de poursuivre les soins. Aujourd'hui, 1 an plus tard, ses cheveux ne tombent plus et sa chevelure a repris une certaine densité. Il nous dit d'ailleurs aller mieux, ne plus prendre d'antidépresseurs et avoir presque retrouvé sa vitalité d'autrefois.

16. chute aiguë due à une émotion violente

Un choc physique ou psychique violent peut déclencher une chute aiguë de cheveux, intervenant deux à trois mois, parfois un peu plus, après l'événement qui l'a provoquée. On cite souvent comme exemples types : une opération chirurgicale, une anesthésie générale, une grande frayeur, mais aussi la perte d'un proche ou l'annonce d'une maladie grave. Étant donné le laps de temps intervenant entre l'événement traumatisant et le début de la chute, la personne concernée n'établit pas toujours d'elle-même une relation de cause à effet.

les symptômes

La chute est subite, et parfois très abondante. Elle peut toucher l'ensemble de la tête, mais se localise surtout autour et derrière les oreilles. Près de ces zones, les cheveux viennent facilement à la traction.

les causes

Réaction d'origine psychosomatique :

• Sous l'effet du traumatisme, une brusque décharge de testostérone, venant des glandes surrénales, entraîne l'arrêt simultané de la croissance d'un nombre important de cheveux.

• Précipitation de ces cheveux dans la phase de repos (télogène), ce qui explique leur chute à retardement, quelques mois plus tard, et leur moindre résistance à la traction. Comme pour l'alopécie précédente, d'autres hormones pourraient être en cause.

un exemple

Francis, 43 ans

Cheveux bruns et frisés, tempes argentées, légèrement dégarnies. Francis vient nous voir pour une chute de cheveux abondante, qui a débuté depuis près de 1 mois. Sachant qu'il perd toujours un peu plus ses cheveux à l'automne, il ne s'est tout d'abord pas inquiété. Très vite pourtant, il s'est aperçu que, cette année, la chute n'avait rien à voir avec celle des autres années. Alors, il a commencé à faire le compte des dégâts : 250 à 300, lors des shampooings tous les 2 jours ; une centaine les autres jours. « Et, chaque fois qu'il tire un peu, il en ramène, c'est à ne plus oser y toucher... »

Nos différentes questions incitent Francis à revoir avec nous son passé récent. Non, il n'a pas été malade cette année, non, il ne suit pas de traitement médical particulier. Un choc violent, une émotion forte ? Oui, il a eu, cet été, un accident de voiture. C'était il y a 3 mois. Aucun dommage physique, mais une peur immense, lorsqu'un promeneur a surgi devant lui et que, pour l'éviter, il s'est précipité dans un fossé.

Notre diagnostic. Au test de traction, les cheveux tombent effectivement beaucoup, en particulier sur le dessus et les côtés. L'analyse de ces cheveux au microscope met en évidence un rétrécissement significatif de la kératine, à 4 cm de la racine : il correspond bien au choc dont Francis vient de nous parler. À l'examen du cuir chevelu, un grand nombre de follicules pileux, vides et groupés, confirment l'origine de la chute.

Plan de traitement. Il se déroulera en 4 mois et sur deux fronts à la fois. Localement massages et application de produits, destinés à activer la fonction circulation et les repousses. Ce traitement est à faire tous les 3 jours. Sur nos conseils, Francis est également allé voir un homéopathe qui lui a prescrit un traitement à base de vitamines et d'oligo-éléments.

Évolution. La chute a cédé en 3 semaines. Dès le deuxième mois, les premières repousses ont été visibles, d'autres se sont installées au cours des 2 mois suivants. Francis a poursuivi le traitement local pendant 2 mois supplémentaires. Après 6 mois, la chevelure avait pratiquement retrouvé sa densité d'avant.

17. la pelade

La pelade semble liée à un état de stress très important : ce serait une manière pour le psychisme de rejeter sur le corps une angoisse qu'il ne peut plus assumer seul. Pour certains, cette angoisse se traduit par des aigreurs d'estomac ou un accident coronarien. Moins fréquente, mais de même nature, la pelade serait un phénomène d'ordre psychosomatique.

les symptômes

La pelade se distingue des autres chutes par une perte très brutale des cheveux et la formation de plaques de calvitie totale. Une perte si subite que la personne concernée ne s'en aperçoit pas toujours la première : c'est souvent un tiers qui la lui signale. Autre particularité, le caractère capricieux de ce type de chute.

• Souvent une seule plaque surgit, suivie par d'autres quelques semaines plus tard. Parfois, au contraire, plusieurs zones se dégarnissent en même temps.

• Les plaques peuvent rester isolées au hasard du cuir chevelu. Elles sont alors souvent délimitées du reste de la chevelure par de petits cheveux cassés et affinés vers la racine, de 1 à 2 cm chacun. Mais elles peuvent aussi se généraliser sur l'ensemble de la tête : c'est la pelade dite totale.

• Parfois, les cheveux reviennent tout seuls, entre 6 mois et 1 an après leur disparition. Malheureusement leur repousse est aléatoire, et il est essentiel de la stimuler par un traitement adapté, dès l'apparition des premières plaques. Lorsqu'elle a lieu, la repousse passe souvent par l'intermédiaire d'un duvet blanc, puis les cheveux s'épaississent et se repigmentent progressivement.

• Les récidives sont fréquentes et imprévisibles : elles peuvent resurgir 10 ou 15 ans après la disparition des premières plaques, sans que l'on sache pourquoi.

L'aspect arbitraire et esthétiquement handicapant des symptômes locaux déclenche souvent un état d'anxiété prononcé : troubles du sommeil, ralentissement de l'activité, angoisse et émotivité.

les causes

Déficience de la fonction circulation qui suspend le cours du cycle vital en phase de croissance (anagène). Dans les pelades sans gravité, le follicule pileux n'est pas détruit, il est seulement bloqué et ne fabrique plus de kératine. Les raisons de cette déficience sont mal connues et font l'objet de multiples controverses. Trois causes différentes sont généralement invoquées, elles ne s'excluent d'ailleurs pas les unes des autres. Au contraire, la combinaison des trois pourrait favoriser l'apparition des symptômes :

Pychosomatiques
Très souvent, la personne concernée a subi un choc émotionnel fort, quelques mois avant l'apparition de la première plaque. Ce choc est-il la cause directe de la chute ? A-t-il seulement joué un rôle de catalyseur ? L'origine n'est-elle pas plus ancienne, liée à une disposition chronique pour l'angoisse ? Les avis divergent sur ce point. En revanche, l'influence négative, que le stress généré par la chute elle-même exerce sur le développement de la maladie, est un fait admis de tous. Des psychothérapies de soutien sont souvent conseillées pour tenter de sortir de ce cercle vicieux.

Héréditaires
Dans 15 % des cas, on retrouve des cas similaires dans la famille.

Liées à une déficience du système immunitaire
Le système immunitaire fabrique normalement les anticorps qui permettent à tout organisme de s'autopréserver contre les agressions extérieures. En cas de pelade et pour une raison inconnue, les cellules capillaires fabriqueraient des anticorps qui, loin de les protéger, bloqueraient la formation de la kératine.

quelques exemples

Ingrid, 29 ans

Elle a ôté sa casquette et nous a montré son crâne : des plaques de pelade très étendues, avec juste cinq petits îlots de cheveux, répartis irrégulièrement sur l'ensemble de la tête. Ingrid nous raconte son histoire, rapidement, presque mécaniquement, comme si elle parlait d'une inconnue.

À 12 ans, pelade complète, personne n'en comprend la raison, elle la première. On lui fait suivre un traitement de neige carbonique et de vitamines : les cheveux repoussent dans l'année qui suit. À 15 ans, deuxième pelade complète, reprise du même traitement, sans résultats cette fois-ci. Ingrid commence une psychothérapie et vit sans perruque. Lorsqu'elle a 19 ans, ses cheveux repoussent sur les 3/4 du crâne, sauf sur la nuque. Et puis, l'année dernière, troisième récidive et nouveaux traitements : PUV, laser et vitamines. Le résultat ? le voilà : cinq petites touffes, d'environ 5 sur 12 cm, mi-blondes, mi-blanches.

Ingrid ne nous laisse pas entrer dans son intimité, elle dit être certaine que ses cheveux peuvent revenir, que tout dépend du « travail qu'elle est en train de faire sur elle-même ». Elle nous consulte parce que son cuir chevelu est très déshydraté, à la suite de traitements trop agressifs : il ressemble à une plaine rouge creusée de sillons, selon son expression.

Évolution. Nous enseignons à Ingrid notre méthode pour réhydrater sa peau et se laver la tête, sans utiliser de shampooing. Après 6 semaines, les rougeurs disparaissent et le cuir chevelu est redevenu sain. Ensemble, nous convenons d'un traitement local quotidien pour essayer de réinstaller l'irrigation des follicules pileux. Les visites de contrôle devront être mensuelles, afin de faire évoluer les produits. Après 4 mois, des repousses partielles sont visibles, mais elles évoluent très lentement. Aujourd'hui, 2 ans plus tard, le cuir chevelu est suffisamment recouvert pour cacher une plaque de 4 cm sur 8, qui demeure sans cheveux. Il nous est impossible de nous engager sur le futur.

Bruno, 36 ans

Chevelure noire, très abondante, quelques cheveux blancs. En se lavant la tête, un matin, Bruno a découvert deux plaques rondes de calvitie, à l'arrière de la tête. L'une de 3 cm, l'autre de 4. Bruno est inquiet : d'où ces plaques peuvent-elles venir ? Vont-elles s'étendre ? proliférer ? Anxieux, il répond à nos questions : non, cela ne lui est jamais arrivé auparavant, et il n'y a pas, à sa connaissance, d'antécédent dans la famille. Non, il ne s'est rien passé de spécial dans sa vie, récemment, ou même depuis longtemps. Il se souvient juste d'un événement, vécu 5 mois auparavant : à l'école, on a découvert que son fils de 6 ans était dyslexique. L'enfant a les plus grandes difficultés pour apprendre à lire et cela préoccupe beaucoup Bruno. Mais de là à imaginer que ceci puisse être la cause de cela, non, vraiment, c'est impossible.

Notre diagnostic. Les deux plaques glabres présentent tous les symptômes de la pelade : pas un cheveu dans les zones concernées, des petits cheveux cassés et et affinés sur tout le pourtour. Le reste de la chevelure est totalement sain. Nous ne pouvons répondre aux questions de Bruno sur la prolifération éventuelle de nouvelles plaques. Mais sur les origines du trouble, nous sommes moins catégoriques que lui : ce qu'il

vient de nous raconter peut très bien, à notre avis, avoir pris plus d'importance dans son inconscient que celle qu'il lui accorde et avoir déclenché cette forme très spéciale de chute. Nous l'engageons à suivre un traitement local, afin de stimuler la repousse des cheveux qui manquent actuellement.

Plan de traitement. Tous les jours, massages et application de produits stimulants sur les deux zones de calvitie. Visite de contrôle toutes les 6 semaines.

Évolution. Au deuxième mois, aucun changement n'est visible, mais les plaques n'ont pas proliféré. Après 3 mois, quelques repousses fines et blanches commencent à faire leur apparition. Au sixième mois, toutes les repousses sont présentes, elles forment comme deux grosses pastilles blanches, bien délimitées, au milieu de la chevelure. Au bout de 1 an, les cheveux ont repoussé, aussi vigoureux et foncés que les autres. Aujourd'hui, 10 ans plus tard, les plaques ne sont jamais revenues.

18. trichotillomanie

Inventé au siècle dernier, ce mot savant se réfère à un trouble psychologique au cours duquel la personne concernée a pour manie de s'arracher régulièrement les cheveux. Chez l'enfant, la trichotillomanie correspond souvent à un simple tic, comme de sucer son pousse, ou de se ronger les ongles. Des cas beaucoup plus graves, mais aussi beaucoup plus rares, se rencontrent chez des femmes adultes. Ils témoignent alors toujours d'une perturbation profonde du psychisme.

les symptômes

Chez l'enfant. L'enfant s'endort ou travaille, en tordant et en tirant sur ses cheveux. Seul un côté du cuir chevelu est en général touché : le côté le plus facile d'accès, suivant que le sujet est droitier ou gaucher. Dans des zones bien définies, les cheveux sont ainsi cassés, raccourcis, de différentes longueurs. À la longue, des plaques de chevelure atrophiée se forment.

Pour un spécialiste, il est facile de ne pas confondre ces plaques avec celles de la pelade, lesquelles présentent des surfaces totalement lisses et sans traces d'arrachage.

Chez la femme adulte. L'arrachage est souvent plus étendu. Dans les cas les plus sérieux, il peut prendre l'aspect d'une brosse courte et irrégulière, sur toute la tête. Généralement, quelques mèches longues sont épargnées sur les côtés.

Chez l'enfant, la manie disparaît souvent toute seule, et le traitement repose sur une prise de conscience autant par les parents que par l'enfant. Quelques séances avec un psychologue peuvent aider. Chez la femme adulte, les traitements relèvent essentiellement de la psychiatrie.

les causes

Les causes sont toujours d'origine affective et traduiraient un mélange d'agressivité réfrénée et de besoin de tendresse. Le trouble naîtrait d'une relation problématique avec la mère.

un exemple

Marine, 4 ans

Cheveux longs et souples, blond cendré. La mère de Marine soulève la chevelure de sa fille et nous montre une grosse plaque, de 6 cm sur 9, située à l'arrière droit de la tête. Dans cette zone, les cheveux sont cassés à toutes les longueurs, la plupart sont très courts et les repousses sont plus fines. Marine, dit-elle, a la manie de tournicoter ses cheveux autour d'un doigt. Toujours au même endroit. Si on le lui interdit, elle va chercher de vieilles tétines en caoutchouc, qu'elle utilise encore pour s'endormir, et passe d'un tic

171

à l'autre. Cet étrange comportement date de plus de 1 an, lorsqu'elle est entrée à la maternelle.

Nous expliquons à la mère de Marine que les follicules pileux sont en train de s'atrophier progressivement et que les cheveux qui forment le contour de la plaque sont, eux aussi, très affinés et risquent de subir le même sort que les autres. Il faut agir maintenant, alors qu'il est encore temps. Nous suggérons une coupe de cheveux courte, pour faire disparaître cette manie, sûrement agréable et rassurante, du doigt qui enroule les cheveux. La mère est réticente : « Son père aime tellement ses cheveux longs… »,

mais la petite est d'accord et trouve même l'idée amusante. Finalement, c'est l'enfant qui convainc sa mère.

Pour les soins, nous conseillons de légers massages et une crème revitalisante à appliquer sur cette zone, à la place du shampooing.

Tout est arrivé comme prévu : Marine a abandonné son tic et gardé ses tétines. Ses cheveux ont repoussé, elle n'y a plus touché. Et puis, un jour, 2 ans plus tard, elle a prévenu sa mère qu'elle ne voulait plus des tétines. Elle les a toutes récupérées et jetées. Elle était maintenant à la grande école et cela se passait plutôt bien.

19. chute
et prise
de médicaments

Plusieurs types de traitements médicaux peuvent être à l'origine d'une alopécie. Il faut distinguer les traitements qui affectent directement la croissance des cheveux (phase anagène) et ceux qui agissent sur leur phase de repos (télogène). Les premiers entraînent une chute rapide, partielle ou totale, et concernent les chimiothérapies anticancéreuses. Les seconds n'induisent qu'une perte diffuse, beaucoup plus lente et moins abondante. Dans les deux cas, la chute est totalement réversible, si la chevelure du sujet concerné était au préalable en bonne santé.

les chimiothérapies
anticancéreuses

Les traitements chimiothérapiques contre le cancer arrivent au premier plan des alopécies provoquées par des médicaments. Ils ont tous pour objectif de tuer toutes les cellules jeunes de l'organisme et de stopper ainsi la prolifération de celles qui sont cancéreuses. Mais leur intervention n'est pas sélective. Les substances utilisées peuvent agir sur certaines cellules saines, à renouvellement rapide, comme celles du follicule pileux. Le cycle vital des cheveux est alors temporairement paralysé et la chevelure tombe.

Le caractère temporaire de ce type de calvitie est important à souligner : une chimiothérapie ne fait qu'inhiber le renouvellement capillaire. Celui-ci reprend toujours son cours après le traitement.

On ne sait pas toujours que la chimiothérapie est un terme très vaste qui recouvre aujourd'hui une cinquantaine de substances différentes. Utilisées seules ou en association, ces substances ne provoquent pas toutes la perte des cheveux. Cela dépend de leur composition, des doses auxquelles elles sont prescrites et de la réceptivité aux agents toxiques du cuir chevelu concerné.

Les symptômes

La chute commence deux à six semaines après le début du traitement. Les cheveux se cassent au niveau de la peau et tombent. À l'arrêt du traitement, il faut compter un bon mois pour que les agents toxiques administrés lors de la chimiothérapie soient totalement éliminés de l'organisme. Le follicule pileux retrouve alors son activité et les cheveux commencent à revenir. La chevelure reprend en quantité le volume qu'elle avait auparavant. Les personnes dégarnies avant le traitement ne retrouvent pas miraculeusement une chevelure abondante. Néanmoins, les nouveaux cheveux sont souvent plus beaux et plus vigoureux. Surtout si leur repousse est stimulée par un traitement local approprié.

Les causes

Arrêt de l'activité cellulaire de la papille des cheveux. La racine ainsi bloquée n'approvisionne plus la tige pilaire, le cycle vital des cheveux est suspendu, ce qui entraîne leur fracture au niveau de l'épiderme.

On peut minimiser la chute en posant un casque réfrigérant sur la tête et en faisant un garrot autour du cuir chevelu. Le principe est d'empêcher, ou tout au moins de limiter, la circulation des produits nocifs au niveau de la racine du cheveu. Mais la méthode est douloureuse, partiellement efficace, et certains hôpitaux ne la pratiquent pas.

Soins capillaires

Aucun traitement capillaire ne doit être entrepris pendant toute la durée de la chimiothérapie. Une fois les séances terminées, il est possible d'agir sur la fonction élimination pour aider le cuir chevelu à se débarrasser des substances toxiques, puis sur la fonction circulation pour stimuler la kératine et les repousses.

les autres traitements médicaux

Sont classées ici les principales familles de médicaments pouvant provoquer des « effets indésirables » sur le cycle vital des cheveux.

- Anticoagulants (pour rendre le sang plus fluide)

- Anorexigènes (amphétamines pour couper l'appétit)

- Hypolipémiants (pour abaisser le taux de cholestérol)

- Antithyroïdiens (pour contrôler la sécrétion thyroïdienne)

- Bêta-bloquants (pour bloquer l'action de l'adrénaline)

- Anti-inflammatoires (contre la douleur et les rhumatismes)

- Rétinoïdes (surdosage de vitamine A pour soigner les formes graves d'acné, de séborrhée et de psoriasis)

- Pilules contraceptives de 1re et de 2e génération

- Psychotropes : antidépresseurs, régulateurs d'humeur (lithium à dose allopathique), neuroleptiques

- Antiépileptiques (barbituriques au long cours pour diminuer l'activité du système nerveux central)

- Radiothérapie anticancéreuse (n'entraîne de chutes de cheveux que si les rayons portent sur le cuir chevelu)

- Interféron (pour réguler le système immunitaire)

La chute des cheveux, provoquée par l'une de ces thérapeutiques, dépend de trois variables : la durée du traitement, sa posologie et la réceptivité de la chevelure.

Les personnes dont les cheveux ne sont pas fragiles peuvent parfaitement ne pas les perdre, même si la prise des médicaments doit se faire sur une longue période. Pour les autres, il est conseillé de prévoir des soins locaux, au niveau du cuir chevelu, dès le début du traitement. Ceux-ci stimuleront la fonction élimination et favoriseront la dissolution des toxines médicamenteuses qui ont pu se former à la base du follicule pileux.

quelques exemples

Elsa, 33 ans

Elle est venue nous voir quelques jours après sa deuxième séance de chimiothérapie. Ses cheveux longs commençaient à tomber par poignées, elle voulait tenter d'en ralentir la perte. Nous l'en avons dissuadée, lui expliquant ce que son médecin lui avait d'ailleurs déjà dit : les substances utilisées pour son traitement anticancéreux allaient sans doute entraîner une chute de cheveux complète et inévitable. Nous avons dit à Elsa de nous recontacter dans les semaines qui suivraient sa dernière séance de chimiothérapie : nous pourrions alors aider ses follicules pileux à éliminer leurs toxines médicamenteuses et les activer pour rendre la repousse plus rapide. Nous lui avons conseillé de se procurer une perruque, sans plus attendre, de façon à pouvoir choisir des cheveux aussi proches que possible de ses cheveux naturels.

Quinze jours après sa dernière séance, Elsa est revenue nous voir, et nous avons entrepris, pendant 1 mois, un traitement de désintoxication, suivi par un traitement de stimulation des fonctions vitales.

Au bout de 4 semaines, les premières repousses ont fait leur apparition. À la fin du deuxième mois, elles couvraient l'ensemble du cuir chevelu et atteignaient presque 6 cm à la fin du cinquième. Les nouveaux cheveux étaient très vigoureux, Elsa trouvait que cette coiffure courte la rajeunissait beaucoup, elle a abandonné sa perruque.

Paul, 64 ans

Bel homme, belle chevelure encore dense, sauf sur le dessus arrière de la tête. Paul résume : sa chevelure était sa fierté. À 60 ans, il avait encore « toute sa crinière, ou presque », ce qui n'était pas le cas de la plupart des amis du même âge. Il y a 3 ans, il a subi un pontage cardiaque et ses cheveux ont commencé à tomber, 1 an plus tard. Depuis 7 mois, il a l'impression que la chute s'est intensifiée, il en parlé au cardiologue qui le suit, mais ce dernier n'a pas semblé passionné par le problème. Il a juste dit que c'était sans doute la conséquence des médicaments qu'il prescrivait et lui a conseillé de voir un spécialiste. Paul sort de sa poche plusieurs plaquettes en vrac : bêta-bloquants, hypolipémiants, anticoagulants... Elles sont devenues son pain quotidien, que peut-on faire ?

Notre diagnostic. Le test de traction confirme bien la chute, et l'examen de la chevelure montre que la moitié des cheveux qui tombent sont remplacés, depuis un cycle, par des petites pousses qui ne grandissent pas. L'autre moitié présentent une bonne vitalité. Le test du cuir chevelu indique que les fonctions circulation et élimination sont mal équilibrées. Au microscope, on note un manque de minéraux inscrit dans la kératine et des racines courtes. Nous rassurons Paul : vu la qualité de sa chevelure, il va être facile de rééduquer les fonctions vitales par un traitement local. Les follicules pileux affaiblis vont rapidement réagir et les repousses pourront forcir et grandir normalement. La chute, elle, risque de ne pas se normaliser totalement, l'ensemble des médicaments qu'il prend étant responsables du moindre temps de vie de ses cheveux. D'où l'importance d'un traitement local, pour assurer une repousse égale aux cheveux qui tombent.

Le plan de traitement. Pendant 4 mois, massages et applications de produits équilibrants et stimulants, à raison de 15 minutes, 2 fois par semaine. Parallèlement, traitement oral de vitamines B et d'oligo-éléments.

Évolution. La chute a très vite diminué, mais elle ne s'est jamais totalement stabilisée. Par contre, les repousses ont recommencé à grandir normalement, dès le deuxième mois, malgré l'influence négative des drogues absorbées. Au terme des 4 premiers mois, Paul a décidé de poursuivre son traitement local, au même rythme. Nous faisons un examen de contrôle 2 fois par an et, aujourd'hui, 4 ans plus tard, la chevelure de Paul n'a pratiquement plus bougé.

20. chute liée aux infections

Toute infection, accompagnée d'une température élevée (+ de 39°,5) pendant plusieurs jours, est susceptible de déclencher une chute de cheveux aiguë dans les mois qui suivent.

Des infections, avec ou sans fièvre, situées dans des zones dites de proximité (sinusites, angines chroniques), ou même dans un endroit quelconque de l'organisme (infections urinaires, gynéco-logique), peuvent également être à l'origine d'une perte anorma-le des cheveux.

les symptômes

• Dans le cas d'une forte fièvre : chute diffuse, aiguë et réversible, intervenant 2 à 4 mois après la baisse de température.

• Dans les autres cas : chute lente et également diffuse. Lorsque l'origine infectieuse a pu être identifiée et guérie, normalement le symptôme de chute se répare sans problème, s'il n'y a pas d'autres facteurs susceptibles de perturber les trois fonctions vitales.

les causes

• Forte fièvre : modification provisoire du cycle vital d'un nombre plus où moins important de cheveux. Sous l'effet de la fièvre et d'une accumulation de toxines, ceux-ci seraient arrêtés dans leur phase de croissance et basculeraient subitement en phase de repos (télogène). Ils tombent en même temps, quelques mois plus tard.

• Infections de proximité : état inflammatoire du nez, de la gorge ou des oreilles qui gênerait la microcirculation capillaire.

• Autres infections : fatigue générale de l'organisme qui perturbe les fonctions vitales.

quelques exemples

Jean-Claude, 38 ans

Chevelure frisée, châtain clair. Golfes marqués, tonsure légèrement apparente. Les cheveux qui manquent sont partis au fil des ans, Jean-Claude a commencé à les perdre lorsqu'il avait 25-26 ans, il ne se souvient plus exactement. Il ne les a jamais traités. Ce qui l'inquiète aujourd'hui, c'est une chute soudaine et très importante, qui a débuté 3 semaines auparavant. En ce moment, il perd entre 200 et 300 cheveux par jour. À ce rythme, ne risque-t-il pas de se retrouver « chauve dans moins d'un an ? »

À l'interview, nous passons rapidement en revue le passé récent de notre interlocuteur. Il y a 3 mois, Jean-Claude a été très malade : plus de 40° de fièvre pendant 5 jours, des boutons partout... c'était la rougeole. Il pensait l'avoir déjà eue, étant enfant, mais son médecin a été formel, les symptômes étaient bien là.

Notre diagnostic. À chaque passage de main dans la chevelure, une dizaine de cheveux se détachent, quel que soit l'endroit du cuir chevelu où le test est fait. Sur les tempes et le sommet de la tête, la plupart des follicules pileux vides sont morts depuis longtemps et correspondent à une chute de cheveux d'origine androgénétique. Seuls, 10 % des follicules, sans cheveux ni repousses, correspondent à la chute actuelle. Nous expliquons à Jean-Claude que celle-ci, imputable à sa maladie récente, peut se poursuivre avec la même intensité encore quelque temps. L'important est de stimuler les fonctions vitales dès maintenant, pour activer, puis fortifier les nouvelles repousses.

Le plan de traitement. Sur le plan local : 2 fois par semaine, à raison de 20 minutes par séance, massages et applications de lotions pour équilibrer les fonctions vitales et stimuler le cycle de renouvellement. Nousconseillons

également à Jean-Claude de retourner voir son médecin pour un traitement de compléments alimentaires : vitamines B et E, zinc, acides aminés soufrés.

Évolution. La chute a persisté au même rythme pendant 15 jours, puis elle a régressé et s'est normalisée après 6 semaines. Dès le deuxième mois, les premières repousses, comme prévu, étaient visibles. Mais elles étaient très fines. Elles se sont multipliées et raffermies au cours des semaines qui ont suivi. À la fin du septième mois, Jean-Claude avait retrouvé son capital cheveu, celui qu'il avait avant de tomber malade. Aujourd'hui, 2 ans plus tard, il continue un traitement d'entretien, qui ne lui prend que 5 minutes, 2 fois par semaine. Connaissant maintenant la fragilité de ses cheveux, il leur accorde une juste attention et préfère les traiter préventivement.

Marianne, 43 ans

Cheveux bruns et ternes, coupés très court. Depuis 6 mois, ils tombent un peu trop, sans motif apparent. Ce n'est pas la première fois que Marianne perd ses cheveux de façon anormale, elle se plaint même de « cette chevelure, qui lui a déjà posé des problèmes, aux moments importants de sa vie ». Mais, auparavant, il y avait toujours une raison, alors qu'aujourd'hui elle n'en voit pas. La première chute date de la naissance de son fils unique, il y a 15 ans. La deuxième est survenue, lors de son divorce, 5 ans plus tard. Les deux fois, elle a suivi un traitement de vitamines par injections, et tout est plus ou moins rentré dans l'ordre. Cette fois, le même traitement s'avère inefficace.

Notre diagnostic. Le test de traction confirme une chute diffuse, un peu trop abondante. Les cheveux sont affinés sur l'ensemble de la tête, plus spécialement sur le dessus. Le cuir chevelu présente une zone dure et particulièrement épaisse, sur le sommet arrière du crâne. Enfin, l'examen des cheveux au microscope met en évidence une racine faible, enrobée de toxines, ainsi qu'une modification de la kératine. Cet ensemble de symptômes nous laisse soupçonner un état infectieux ou inflammatoire. Interrogée à ce sujet, Marianne dit être gênée depuis plus d'un an par des cystites à répétition, qu'elle ne traite pas toujours. Nous lui conseillons de consulter un médecin et de revenir nous voir.

Marianne revient 2 semaines plus tard, elle a bien une infection urinaire, elle est sous antibiotiques pour 1 mois.

Le plan de traitement. Soins bi-hebdomadaires, étalés sur 4 mois pour rééquilibrer les fonctions circulation et élimination, et dynamiser l'ensemble du système capillaire. Visites de contrôle prévues toutes les 6 semaines.

Évolution. La chute s'est arrêtée à la fin du deuxième mois. Au cours des mois suivants, les nouveaux cheveux ont bien repoussé, ils étaient normaux et vigoureux. Marianne a décidé de les laisser pousser un peu. Elle continue de les entretenir en leur consacrant 15 minutes par semaine.

21. chute et problèmes dentaires

Des caries non soignées peuvent être la cause d'une chute de cheveux inexpliquée. Il en est de même pour des amalgames anciens réalisés avec du plomb, ou pour des kystes dentaires non décelés. Ces derniers se trouvent le plus souvent sur des dents dévitalisées depuis plus de dix ans, une radiographie panoramique alvéolaire de la dentition pourra les déceler.

les symptômes

La chute se présente par petites plaques juxtaposées, où manquent une dizaine de cheveux chaque fois. Ces plaques sont localisées à l'arrière de la tête, à droite ou à gauche, et à des hauteurs variables, selon l'emplacement de l'affection dentaire.

les causes

Caries et kystes. Comme pour les sinusites ou les angines chroniques, cette chute des cheveux serait due à un état inflammatoire de voisinage qui gênerait la microcirculation capillaire. Elle est réversible, lorsque le mal d'origine a pu être décelé et soigné suffisamment tôt.

Amalgames de plomb. Déficience de la fonction élimination : des infiltrations de plomb dans le sang pénètrent à la base du follicule pileux. Ils précipitent le cheveu en phase de chute et entravent son renouvellement.

un exemple

Marc, 58 ans

Chevelure souple et fine, châtain clair. Pas de cheveux blancs, pas de dégarnissement notable. Marc nous consulte parce qu'il perd ses cheveux depuis quelque temps, à raison d'une cinquantaine par jour, ce qui ne lui était jamais arrivé auparavant. Il dit aussi être moins en forme, avoir vu un médecin généraliste et s'être fait faire une analyse de sang. Les résultats étaient normaux.

Notre diagnostic. Indice important et peu courant, le test de traction indique une chute diffuse, localisée surtout à l'arrière de la tête. L'examen du cuir chevelu et des cheveux au microscope confirme cette première observation : la chute se situe bien dans la nuque, où sont regroupés de nombreux follicules pileux vides. Dans cette zone, les cheveux sont affinés, la kératine affaiblie et les racines entourées de toxines. Au vu de ces symptômes, nous posons à Marc des questions sur sa dentition. Oui, ses dents du fond sont toutes dévitalisées depuis longtemps, la plupart ont des couronnes. Sa dernière visite chez le dentiste, pour un détartrage, remonte à moins de 4 mois et tout était normal. Nous l'engageons pourtant à revoir son dentiste pour se faire prescrire une radio panoramique, car nous pensons que la chute de ses cheveux pourrait être liée à un problème dentaire. Notre hypothèse s'est avérée exacte. Lorsque Marc revient au Centre, il nous informe que la radio a révélé plusieurs petits kystes, parfaitement indolores, mais bien présents et situés sur la mâchoire inférieure. Il a commencé des soins qui doivent durer 2 mois.

Plan de traitement capillaire. Pendant la durée des soins den-

taires, tous les 2 jours : massages dans la zone concernée et application d'un produit équilibrant, pour régulariser les fonctions vitales perturbées.

Évolution. La chute s'est arrêtée 6 semaines après la fin des soins dentaires. Un traitement capillaire a été poursuivi encore quelques semaines, pour stimuler les follicules pileux. Le temps que les repousses soient toutes présentes et que la chevelure ait retrouvé sa vitalité passée.

22. chute par carences nutritionnelles

Rationnements hasardeux, cures d'amaigrissement trop rapides, régimes à répétition, états anorexiques... sont autant de facteurs qui peuvent jouer une influence déterminante sur l'équilibre du cycle vital d'une chevelure et qui illustrent bien le rapport existant entre la manière dont un individu se nourrit au quotidien et la santé de ses cheveux.

L'» idéal minceur «, en vigueur depuis plusieurs décennies, pourrait d'ailleurs avoir largement contribué à l'augmentation des alopécies féminines, chez les femmes prédisposées aux problèmes capillaires.

Certaines carences pathologiques, lorsqu'elles portent sur des éléments indispensables au renouvellement et à la vitalité des cheveux, sont également susceptibles d'entraîner des chutes diffuses. Celles-ci sont réversibles si elles peuvent être identifiées tôt, être soignées par des suppléments médicamenteux et par une action locale au niveau des trois fonctions vitales.

les symptômes

Régimes mal équilibrés. Appauvrissement graduel de la chevelure : les cheveux deviennent plus fins, cassants et mous. Ils ternissent, se dépigmentent progressivement et tombent plus que de coutume. La chute peut être renforcée par la prise de coupe-faim, à base d'amphétamines.

Quand l'un ou plusieurs de ces symptômes apparaissent, il ne faut pas attendre pour réagir : la racine des cheveux risque de s'atrophier peu à peu et la chevelure de ne jamais retrouver son volume initial, même après rétablissement d'une alimentation normale.

Carences pathologiques. Les mêmes symptômes sont parfois observés alors qu'il n'y a pas de régime en cours et que l'alimentation est bien équilibrée. C'est le cas des carences pathologiques, leurs effets sur les cheveux servent souvent à les dépister.

Une analyse de sang, complétée éventuellement par une analyse minérale des cheveux, confirmera et précisera le manque observé.

les causes

Régimes mal équilibrés. Ce ralentissement de l'activité du follicule pileux, qui fragilise la kératine et entrave la croissance des cheveux, peut être dû à plusieurs déficiences alimentaires, au premier rang desquelles on trouve généralement le fer, responsable très fréquent de la dégradation rapide des cheveux. Essentiels également, les éléments dont la kératine elle-même est constituée : protéines (acides aminés) et soufre. Mais les carences en vitamines A, B 5 et B 8 doivent aussi être surveillées de très près, car elles sont directement impliquées dans l'activité folliculaire, et la nourriture sous cellophane, qui est devenue notre « pain quotidien », peut en manquer singulièrement.

Il est toujours possible de concilier perte de poids volontaire et beauté des cheveux : il suffit de rééquilibrer son régime en tenant compte des éléments nécessaires à l'activité du follicule pileux (cf. chapitre 7). Les produits alimentaires dans lesquels ils se trouvent sont suffisamment nombreux pour qu'une sélection qui convienne à tout régime amaigrissant puisse être faite. Il est également souhaitable de stimuler les trois fonctions vitales du cheveu par un traitement local d'appoint.

Carences pathologiques. Elles sont dues à des troubles du métabolisme. Là encore, le déficit en fer est classique (anémie ferriprive). Cette carence atteint principalement les femmes, elle est souvent liée à des règles trop abondantes et à l'impossibilité de fixer le fer absorbé (le trouble étant souvent dû à un stérilet mal supporté ou au développement d'un fibrome utérin).

Chez certaines femmes ménopausées, sans traitement hormonal de substitution, la perte des œstrogènes peut provoquer un manque de calcium. Enfin, une carence en magnésium se rencontre chez des personnes émotives ou particulièrement stressées.

Moins courants : les dérèglements dus à une mauvaise assimilation des protéines (hypoprotéinémie) et les déficits en zinc ou en cuivre. Attention, les carences pathologiques ne doivent pas être prises à la légère et comblées n'importe comment ! Les surdosages étant souvent aussi néfastes que les manques, seul un médecin est habilité à établir les supplémentations nécessaires, en fonction des résultats des analyses de sang.

quelques exemples

Marie, 30 ans

Cheveux noirs, mi-longs et dégradés, frange aux sourcils. Ils tombent par périodes de 3 à 4 semaines, de plus en plus rapprochées. Marie nous dit être angoissée par l'état de ses cheveux : non seulement elle les perd, mais ils sont « ternes et secs, on ne peut plus rien en faire ». L'extrême minceur de notre interlocutrice nous conduit rapidement à l'interroger sur son régime alimentaire. Elle reconnaît être très soucieuse de sa ligne, mais se défend d'être anorexique – c'est elle qui prononce le mot.

Notre diagnostic. Beaucoup de cheveux affinés et de calibres variés sur l'ensemble de la tête, nuque comprise. Le test de traction indique une petite chute diffuse. Un tiers des follicules pileux sont vides, et seulement la moitié d'entre eux seront récupérables. Le cuir chevelu est sec et présente une légère dermatose dans la nuque, près du front et sur le sommet de la tête. La peau de ces deux dernières zones est singulièrement épaissie. Au microscope, l'analyse des cheveux et de leur racine confirme le manque de plusieurs éléments nutritifs essentiels. Nous expliquons à Marie qu'aucun traitement local de sa chevelure ne pourra être efficace, sans une remise en question sévère de son alimentation. Ce qui ne signifie pas nécessairement, dans notre esprit, une prise de poids.

Le plan de traitement. Marie accepte de consulter un médecin nutritionniste, lequel met au point avec elle un régime alimentaire très précis. Sur le plan capillaire et parallèlement, nous entreprenons des soins locaux pour assainir et réhydrater le cuir chevelu, le premier mois ; pour équilibrer et stimuler les fonctions vitales, les mois suivants. Les contrôles sont mensuels.

Évolution. En 3 mois, les cheveux sont devenus plus toniques et ont cessé de tomber. Après 6 mois de traitement et grâce aux nouvelles repousses, la chevelure a repris du volume, elle semble maintenant avoir doublé. Notre rencontre a été importante pour Marie : là où la raison avait échoué, ses cheveux ont réussi. La crainte de les perdre lui a fait prendre conscience de son rapport anormal vis-à-vis de la nourriture et, pour les sauver, elle a totalement changé son comportement alimentaire.

Nathalie, 42 ans

Cheveux ondulés, secs et dévitalisés. La chute arrive par à-coups, se poursuit pendant 15 jours ou 3 semaines, s'arrête quelque temps, puis reprend. Elle a débuté il y a 2 ans environ, Nathalie a essayé plusieurs lotions antichute et de multiples shampooings, rien n'y fait. Parfois, la perte semble se stabiliser, mais elle revient toujours.

Au cours de l'interview, Nathalie nous livre deux indications importantes : elle se sent perpétuellement fatiguée, malgré un sommeil correct ; elle ne prend plus la pilule et porte un stérilet depuis 5 ans.

Notre diagnostic. Le manque de cheveux n'est pas très important : environ un cinquième de la chevelure d'origine. La plupart des follicules pileux vides le sont depuis moins de 1 an. Les repousses présentes sont fines et le cuir chevelu manque de souplesse. L'analyse de quelques cheveux au microscope met en relief de fortes altérations de la kératine, indiquant un manque de minéraux et un état légèrement dépressif. La fonction circulation est déficiente. Nous engageons Nathalie à aller revoir son gynécologue et à se faire faire des analyses de sang complètes. Les résultats indiquent clairement une anémie ferrique et un taux de calcium très bas. Un traitement est mis en route et le stérilet, responsable des règles trop abondantes, est déposé.

Plan de traitement et évolution. Nous mettons au point un traitement local simple : massages et stimulant avant le shampooing hebdomadaire, crème revitalisante après. Au bout de 1 mois, la chute s'est arrêtée et n'est plus revenue. La chevelure a repris sa vitalité, dès le deuxième mois.

23. chute liée à la coiffure

On les appelait autrefois « les alopécies du chignon », c'était en 1920, au temps où toutes les femmes portaient leurs cheveux relevés sur le dessus de la tête. Aujourd'hui, on parle plutôt de l'alopécie du catogan ou de celle des petites tresses africaines. La mode a changé mais le mal est resté : une traction capillaire forte et prolongée peut entraîner une chute localisée mais irréversible, pour les personnes dont les cheveux sont fragiles par nature.

les symptômes

Aux endroits où le cheveu est constamment étiré, les longueurs perdent leur élasticité et se cassent. Parallèlement, la traction exercée sur la racine peut provoquer de petites irritations et une inflammation insidieuse du cuir chevelu. À terme, les repousses sont de plus en plus fines, et la chevelure commence à s'éclaircir dans les zones sensibles.

Localisation. Si la personne concernée ne réagit pas, une réelle alopécie peut s'installer localement. Selon les zones concernées :

• sur le dessus de la tête, pour les chignons.

• en « serre-tête », à la lisière du front, des tempes et des oreilles, pour les catogans et les coiffures maintenues en arrière.

• en « rangs de maïs », sur toute la surface du cuir chevelu, pour les petites tresses africaines, mais plus particulièrement sur le devant, là où le cuir chevelu est le plus sensible. Le recul de l'implantation capillaire peut aller jusqu'à 3, voire 5 centimètres, dans les cas les plus sérieux.

Des rajouts de cheveux, des rouleaux serrés et conservés trop longtemps, des brushings agressifs et répétés peuvent engendrer les mêmes symptômes, à un moindre degré.

les causes

Plusieurs facteurs concourent ici au dérèglement du cycle vital :

• La tension, infligée en permanence aux cheveux, détruit les chaînes de kératine et fragilise les tiges. Les cheveux se cassent à toutes les longueurs.

• Les racines se désolidarisent de leur follicule, ce qui provoque une inflammation locale. Les cheveux, insuffisamment nourris, passent plus vite de la phase de croissance à la phase de repos et tombent.

• Les follicules, trop souvent sollicités pour produire de nouveaux cheveux, finissent par s'atrophier et disparaître.

Henri, 51 ans

Cheveux argentés et longs, tirés dans la nuque. Front très dégarni. Il y a quelques années, Henri s'est laissé pousser les cheveux pour les attacher en catogan et cacher une tonsure devenue trop visible. Mais, depuis 2 ans, son front s'est encore dégarni. Le mal est-il dû à ses cheveux trop longs ? Il veut en avoir confirmation avant de les couper. Nous lui expliquons que la longueur des cheveux n'a rien à voir avec la chute et que, dans son cas, le problème vient sûrement de la traction exercée par le lien du catogan.

Notre diagnostic. Le test de traction ne signale pas de chute anormale. Le cuir chevelu est particulièrement tendu et la fonction circulation très déficiente. Sur le dessus de la tête, il manque près de 60 % des follicules pileux. Seuls 10 % d'entre eux pourront être réactivés. Quelques faibles repousses pourront aussi être renforcées. Au microscope, les cheveux situés près du front présentent des racines atrophiées, et des altérations visibles de la kératine. Nous confirmons à Henri que sa coiffure actuelle est responsable du recul frontal de ses cheveux.

Plan de traitement. Pendant 6 mois, 2 fois par semaine, un traitement local sera appliqué, pour dynamiser les follicules encore récupérables et réinstaller un cycle de renouvellement normal. Mais ce traitement ne saurait être efficace si Henri ne change pas de coiffure. Il le comprend et décide de revenir à une coupe plus courte, sans catogan.

Évolution. Après 2 mois, les premières repousses sont visibles sur le front et les duvets ont grandi de 1 centimètre. Au bout de 6 mois, le cycle vital fonctionne à nouveau et de vrais cheveux sont en place, partout où les follicules ont pu être réactivés. Satisfait, Henri décide alors de poursuivre le traitement une fois par semaine. Pour continuer à stimuler la vitalité de ses cheveux et « pour ne plus en perdre un seul ».

24. chute et manipulations cosmétiques

Toute manipulation chimique, qu'il s'agisse de permanente, de défrisage ou de décoloration, doit, pour être efficace, modifier la structure même du cheveu. Les produits sont aujourd'hui suffisamment au point pour que des cheveux sains supportent sans dommage l'un ou plusieurs de ces traitements. À condition, évidemment, que ceux-ci soient correctement appliqués et que les délais nécessaires entre deux opérations soient respectés. Certaines femmes ont tendance à confondre chevelure et parure, et oublient souvent que leurs cheveux sont des organes vivants.

Si les manipulations sont trop souvent répétées ou réalisées sur des cheveux déjà malades, ceux-ci peuvent devenir cassants et tomber à toutes les longueurs, ce qui diminue d'autant le volume général de la chevelure. En ce sens on peut parler de chute.

Mais les produits utilisés n'attaquant pas le follicule pileux, cette perte de volume n'est que temporaire et normalement les repousses qui succèdent aux cheveux endommagés ne doivent pas porter trace des altérations passées. Autrement dit, une manipulation peut fragiliser les tiges et les rompre, elle ne peut ni déclencher ni aggraver une chute pathologique. Si le cycle vital des cheveux est perturbé, il faut en rechercher les causes ailleurs.

les symptômes

Les cheveux sont ternes, secs et mous. Ils se cassent facilement. Une main passée dans la chevelure ramène un nombre important de cheveux brisés à toutes les longueurs, parfois même au ras du cuir chevelu.

le frisage

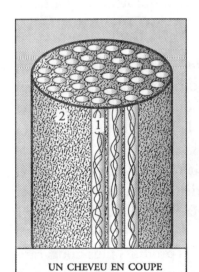

UN CHEVEU EN COUPE
1 - les « ressorts »
2 - le « ciment »

Mécanisme du frisage. Il consiste à rompre l'organisation originelle des molécules de kératine pour leur imposer une nouvelle structure. À l'état naturel, la kératine des cheveux est constituée de deux sortes de fibres. Les unes, verticales et torsadées, suivent l'axe du cheveu et lui confèrent son élasticité : ce sont les « ressorts ». Les autres se présentent horizontalement, formant des ponts riches en soufre *(disulfurés)* et reliant les fibres verticales les unes aux autres. Leur rôle de « ciment » confère aux cheveux leur solidité.

L'opération de frisage se fait toujours en deux temps :

1. application d'une base alcaline, dont la propriété est de rompre artificiellement les fibres horizontales, pour rendre les fibres verticales malléables et conférer aux cheveux une nouvelle forme, celle des rouleaux autour desquels ils sont posés.

2. application d'un produit oxydant, qui neutralise l'action précédente et recimente les fibres verticales entre elles, selon la forme que les rouleaux, plus ou moins gros, leur ont imposée.

De l'*indéfrisable* de nos grands-mères à la *permanente* puis à l'*assouplissement,* le frisage des cheveux a été plusieurs fois rebaptisé, depuis sa naissance. Mais, si les noms ont changé, le principe reste le même : seules varient la composition et l'intensité des produits. Aujourd'hui, la mode évoluant, la plupart des femmes préfèrent un bouclage léger *(minivague)*, ou un simple *décollement de racines*, qui agressent moins leurs cheveux, donnent du gonflant, tout en gardant un aspect naturel.

Les problèmes. Sur des cheveux sains, les accidents sont rares. Quand ils ont lieu, ils sont souvent dus à des séances trop rapprochées, ou à une mauvaise lecture du mode d'emploi par les personnes qui effectuent elles-mêmes la manipulation.

Le frisage des cheveux délicats devrait toujours être exécuté par un coiffeur qui connaît bien son métier. Lui seul peut conseiller une cliente dont les cheveux ont déjà tendance à s'affiner et à tomber. Pour ne pas causer de dommages supplémentaires, il diminue les temps de pose, ou utilise des produits plus doux, sans ammoniaque. Il veille également à ce que la manipulation soit assortie de soins spéciaux, riches en protéines et en agents hydratants, afin de *re-gainer* les cheveux.

le défrisage

Le principe du défrisage est absolument identique à celui du frisage, à un détail près : au lieu d'enrouler les cheveux autour de petits rouleaux pour leur donner une frisure, on les lisse avec un peigne, ou on les malaxe à la main, jusqu'à ce qu'ils n'opposent plus de résistance et que l'on obtienne la raideur voulue. Autre différence : alors que le produit réducteur utilisé pour le frisage se présente sous forme de liquide pour mieux pénétrer les rouleaux, le réducteur du défrisage se présente, lui, sous forme de crème ou de gel pour faciliter le malaxage.

Les problèmes. Le défrisage des cheveux délicats devrait être exécuté par un bon coiffeur, seul habilité à moduler l'intensité de la manipulation, voire à la déconseiller, suivant l'état de la chevelure concernée. (Pour le défrisage des cheveux crépus, se reporter au chapitre 25, p. 207.)

la coloration superficielle

Elle consiste à appliquer une teinture sans oxydant sur la partie extérieure des cheveux, un peu comme l'on peint un mur. Les teintes obtenues, voisines de la couleur initiale, ne sont pas définitives, elles s'estompent au fil des semaines, avec le shampooing. Depuis quelques années, on trouve des colorations avec très peu d'oxydant, moins fugaces que les précédentes et qui pénètrent la kératine, sans en modifier les pigments naturels. Les colorations superficielles ne présentent pas de danger, même sur des cheveux qui ont tendance à tomber et dont les repousses sont affinées.

la décoloration

Le principe général de la décoloration consiste à détruire, partiellement ou totalement, les pigments de mélanine qui sont fixés à la kératine et donnent aux cheveux leur coloris naturel. La décoloration simple est surtout utilisée pour faire des *mèches*.

Les problèmes. La décoloration est obtenue par une oxydation exercée sur les fibres latérales de la kératine, celles qui confèrent aux tiges leur solidité. La décoloration des mèches peut donc rendre des cheveux délicats, plus cassants, mais le mal est limité par définition. Autres avantages, le procédé ne nécessite pas d'interventions trop fréquentes et, les produits n'étant jamais appliqués directement sur les racines, le cuir chevelu n'est pas agressé.

la coloration permanente

Presque toujours l'opération précédente sert d'étape intermédiaire à une coloration permanente, le tout étant réalisé, le plus souvent, en *une seule opération* : le produit appliqué détruit partiellement les pigments de mélanine, tout en les remplaçant par des pigments artificiels. C'est le procédé le plus utilisé, il permet d'obtenir n'importe quelle nuance, plus claire ou plus foncée. Les cheveux blancs peuvent disparaître, les blondes peuvent devenir brunes et vice versa. À condition que la hauteur de ton souhaitée ne soit pas beaucoup plus claire que la teinte initiale.

Dans le cas d'une méditerranéenne voulant obtenir un blond nordique, par exemple, la différence entre couleur d'origine et couleur désirée est trop importante et la couleur doit se faire en *deux temps*. Dans un premier temps, un produit décolorant détruit totalement les pigments noirs de la chevelure naturelle ; un autre produit recolore ensuite en blond.

Les problèmes. Sur des cheveux déjà malades, les produits appliqués peuvent dessécher le cuir chevelu, fragiliser les tiges et augmenter notablement leur facilité à se rompre. Surtout lorsqu'une grande différence de ton entre la couleur existante et la couleur désirée requiert une destruction totale ou quasi totale de la mélanine. Ceci, sans oublier que l'opération est réitérée chaque fois que les racines apparaissent, c'est-à-dire tous les mois environ.

le décapage

Le mot manque de poésie, mais il est explicite : il s'agit d'une opération préliminaire pour éliminer les pigments d'une ancienne coloration artificielle et préparer les cheveux à en recevoir une autre, sensiblement plus claire.

Les problèmes. Les pigments artificiels sont plus difficiles à neutraliser que les pigments naturels et nécessitent des produits encore plus agressifs. Le décapage est, pour cette raison, formellement déconseillé sur des cheveux pathologiquement fragiles.

Comme pour le frisage ou le défrisage, quand les cheveux sont délicats, que les repousses sont de plus en plus fines, l'avis et la technique d'un bon coiffeur semblent indispensables si vous désirez changer la couleur de vos cheveux. Seul, un vrai spécialiste de ces manipulations pourra résoudre les questions suivantes : déterminer ce que peut supporter votre chevelure, vous conseiller un type de coloration plutôt qu'un autre, prendre les précautions nécessaires à leur application.

cheveux fragiles : les précautions à prendre

Frisage ou défrisage :
pas plus de 2 ou 3 fois par an
à faire exécuter par un bon coiffeur

Coloration superficielle :
sans danger

Décoloration de mèches :
pas plus de tous les 4 mois, repousses uniquement
à faire exécuter par un bon coiffeur

Coloration permanente réalisée en un seul temps :
pas plus de tous les mois, racines uniquement
à faire exécuter par un bon coiffeur

Coloration permanente réalisée en deux temps :
à éviter

Décapage :
à éviter formellement

Carole, 22 ans

Cheveux mi-longs, blond décoloré. Elle est arrivée la tête recouverte d'un feutre noir qu'elle n'a pas voulu ôter avant de nous avoir tout expliqué. Carole n'a jamais aimé ses cheveux, trop fins, trop raides, un peu « filasse ». Depuis 4 ou 5 ans, elle les frise et les teint, pour leur donner du volume et de la couleur, « pour les faire ressembler à de vrais cheveux ». Il y a 15 jours, elle s'est fait elle-même un assouplissement et une coloration. La teinture était ratée, elle a dû la recommencer le lendemain. Depuis, ses cheveux tombent par poignées, elle n'ose plus ni les montrer ni y toucher.

Notre diagnostic. La chevelure est effectivement très endommagée, et le test de traction ramène de nombreux morceaux de cheveux. Lorsque l'on tire aux deux extrémités de ces cheveux cassés, ils se recassent, comme s'ils étaient prédécoupés. Au microscope, on observe une kératine déstructurée et des zones amincies, réparties tout au long des tiges pilaires. Le cuir chevelu est très irrité sur le sommet de la tête et dans la nuque.

Plan de traitement. Pendant 3 semaines, pour cicatriser le cuir chevelu : applications quotidiennes d'un macérat de plantes adoucissantes. Pendant 4 mois, pour nourrir les tiges et reconstituer leur kératine : application, 2 fois par semaine, d'une crème à base d'huiles végétales, d'extraits d'algues et de centella.

Évolution. Au bout de 15 jours, le cuir chevelu a pu être assaini et les cheveux ont cessé de se casser. À la fin du traitement, la chevelure avait repris sa vitalité et Carole a décidé de ranger son chapeau dans un tiroir. Sur nos conseils, elle s'est promis d'être raisonnable, de ne plus manipuler elle-même ses cheveux et d'accompagner chaque opération future de soins complémentaires adéquats.

25. les cheveux métis et africains

Quelques particularités, concernant les cheveux de type métis et africain, sont à l'origine de chutes très spécifiques et justifient qu'un chapitre spécial leur soit consacré.

caractéristiques

• Les cheveux, on l'a vu, sont plus fins de diamètre, leur implantation dans le cuir chevelu est moins profonde, ils sont de ce fait plus fragiles par nature.

• Les tiges, aplaties et non rondes, présentent une torsion en forme d'hélice, ce qui explique leur forme crépue et leur pousse plus lente, celle-ci se situant autour de 10 cm par an, contre 12 à 15 cm pour les cheveux de type européen.

• La sécrétion de sébum est moindre, elle s'écoule plus difficilement le long de la tige, du fait de sa frisure, et les cheveux sont naturellement plus secs. Surtout en Europe où le taux d'humidité de l'air est en général plus faible que celui des pays d'origine.

problèmes rencontrés

Ces propriétés rendent les cheveux difficiles à démêler et à coiffer. Excepté pour les coupes masculines, ou pour les femmes aux coiffures très courtes, il est par exemple impossible de faire sécher ses cheveux à l'air libre, sous peine d'obtenir une « pelote » inextricable. Ceci explique que l'on ait recours à différents artifices pour tenter de dompter sa coiffure :

• petites tresses, pratiquées dès le plus jeune âge chez les filles,
• rajouts de cheveux, tressés avec les cheveux réels ou cousus,
• défrisages agressifs et trop souvent répétés,
• permanentes : *curl* pour les femmes, *wave* pour les hommes.

Autant de procédés qui, surtout s'ils se succèdent dans le temps, peuvent traumatiser des cheveux naturellement délicats et être à l'origine de chutes importantes et caractéristiques des coiffures antillaises ou africaines.

Ces chutes sont en fait de deux natures différentes, qu'il ne faut pas confondre, leur degré de gravité n'étant pas le même :

• Les premières, liées à un arrêt progressif du cycle vital des cheveux, deviennent irréversibles si elles ne sont pas traitées à temps.

• Les secondes, liées à une cassure des tiges, peuvent s'interrompre lorsque cessent les manipulations chimiques qui les ont provoquées et que de nouveaux cheveux ont pu renouveler totalement la chevelure détériorée.

chutes liées
à l'arrêt progressif du cycle vital

Elles sont déclenchées par la traction continue que les petites tresses ou les rajouts qui « pèsent » exercent sur le bulbe des cheveux. Traction qui peut décoller la racine du follicule pileux et précipiter sa chute comme le ferait une épilation. Trop souvent sollicités à produire de nouvelles repousses, les follicules risquent alors de s'atrophier progressivement, pour finir par ne plus produire de cheveux (cf. chapitre 23, p. 193).

Dès l'apparition des premiers symptômes de dégradation, la mesure dictée par le bon sens est de changer de coiffure, ou tout au moins de l'adapter, lorsque c'est possible.

Les petites tresses. Il convient de composer des nattes peu serrées, surtout sur les premiers centimètres situés près de la racine. Cela permet à la chevelure de « respirer » et de ne pas subir les inconvénients provoqués par les variations atmosphériques. Quand l'air est sec, les cheveux sont en effet moins élastiques, ils se rétractent et les racines sont tirées vers l'extérieur.

Les rajouts. Qu'ils soient tressés avec les cheveux naturels, ou cousus à leur racine, les cheveux d'appoint sont à manier avec la plus grande prudence, car ce sont eux les principaux responsables des alopécies dites « de la traction ». Même lorsqu'ils sont fixés par des mains compétentes et soucieuses de ne pas compromettre la vitalité des cheveux existants, ils sont souvent à l'origine de leur chute et doivent alors être abandonnés, ou singulièrement allégés.

Concernant leur texture, il ne faudrait jamais faire de fausses économies sur leur qualité. De vrais cheveux sont ceux qui risquent le moins d'endommager ses propres cheveux, mais ce sont aussi les plus onéreux. Toutefois, on trouve aujourd'hui des cheveux synthétiques, importés des États-Unis, de qualité supérieure et de prix abordable. Leur compatibilité avec les cheveux naturels limite les risques de détérioration.

défrisage et chute liée
aux cassures des cheveux

Les tiges se brisent à toutes les longueurs, y compris au ras du cuir chevelu, et les personnes concernées se plaignent d'avoir des cheveux qui ne poussent pas. La plainte est fréquente mais elle n'est pas fondée. Simplement, les repousses n'arrivant jamais à compenser les cheveux cassés, la chevelure donne l'impression de stagner toujours à la même longueur. Le mal est dû à la multiplication des manipulations cosmétiques, en particulier au défrisage.

L'opération n'est pas anodine : pour raidir totalement un cheveu très frisé, il est nécessaire de commencer par « défibrer » littéralement la kératine, avec des produits fortement alcalins. Si la manipulation n'est pas accompagnée de beaucoup de précautions et de soins intensifs avant et après, même les cheveux les plus robustes ne résistent pas longtemps à l'épreuve. Il existe de multiples traitements de compensation très efficaces s'ils sont judicieusement choisis, s'ils sont appliqués régulièrement, si le défrisage n'est pas trop souvent répété. Mais la fréquence des défrisages pose justement un problème difficile à résoudre.

D'un côté, il ne faut pas répéter trop souvent l'opération, sous peine de détériorer sérieusement les cheveux ; de l'autre, il ne faut pas non plus trop attendre pour défriser les repousses, car plus les cheveux ont repoussé, plus la jonction frisée-non défrisée se cassera facilement, lorsque l'on se coiffera. Aussi le défrisage des repousses s'effectue-t-il souvent, toutes les 6 ou 8 semaines, alors qu'en principe la manipulation ne devrait pas être réitérée plus de 2 ou 3 fois par an. Le temps de donner aux soins d'accompagnement les moyens de reconstruire les défenses que les cheveux n'ont plus.

Pour toutes ces raisons, le défrisage devrait toujours être exécuté par un coiffeur ayant une bonne connaissance du problème et de ce qu'il est possible de faire par rapport à une chevelure donnée. Là encore, mieux vaut ne pas faire de fausses économies, les risques sont trop graves. Si, pour des raisons de budget, vous devez néanmoins exécuter vous-même la manipulation, nous vous conseillons de lire attentivement les conseils suivants, ce sont un peu les dix commandements du défrisage.

Conseils pour le défrisage

1. Ne jamais faire de défrisage en cas de pellicules et d'irritations. Suivre un traitement préalable et attendre que le cuir chevelu soit parfaitement sain pour exécuter la manipulation.

2. Ne jamais faire de défrisage non plus sur cheveux décolorés ou ayant subi un curl. Attendre qu'ils aient totalement repoussé. On peut par contre appliquer une coloration douce sur des cheveux défrisés. À condition de ne pas exécuter les deux opérations le même jour et d'attendre au moins une semaine entre les deux.

3. Avant le défrisage, préparer le cuir chevelu et les cheveux en appliquant une crème hydratante dans la semaine qui précède. Ne surtout pas se laver les cheveux pendant cette période : les poussières et les graisses accumulées constituent la meilleure protection naturelle de votre cuir chevelu.

4. Contrôler la force du produit défrisant, qui peut ne pas être adapté à ce que votre cheveu est capable de supporter. Même les produits dits « sans soude » sont en fait des dérivés de soude, moins puissants, mais encore très agressifs pour les cheveux.

5. Lire très attentivement le mode d'emploi qui accompagne le produit et ne prendre aucune liberté par rapport à la marche à suivre. Ne jamais dépasser les temps de pose établis suivant la nature de vos cheveux (fins, moyens, épais...). Attention, ce temps de pose se calcule depuis le moment où vous avez commencé à appliquer le produit, et non à partir du moment où vous avez terminé l'application. La plupart des accidents sont dus à une mauvaise compréhension du temps de pose.

6. Si vous trouvez le bon produit, celui qui convient à vos cheveux, n'en changez pas. D'un produit à l'autre la formule peut varier un peu et ne plus être adaptée à votre type de cheveux.

7. Commencez l'application à 5 mm environ des racines, afin que le produit ne risque pas d'irriter ou de brûler le cuir chevelu. Servez-vous d'un pinceau, pour plus de précision.

8. Pour faire pénétrer le produit, ne vous servez pas d'un peigne, qui risque d'exercer une trop grande traction. Malaxez vos cheveux à la main, aplatissez-les avec le dos d'un peigne, sans tirer. Si les cheveux sont déjà défrisés, surtout n'appliquez le produit que sur les repousses, sans déborder sur les longueurs.

9. Lorsque le temps de pose est terminé, rincez abondamment avant d'appliquer le shampooing neutralisant. L'opération de rinçage est extrêmement importante, ne gagnez pas du temps sur elle : elle doit durer au moins 5 minutes, même si vous pensez avoir éliminé toute trace du produit bien avant. Après le shampooing, les cheveux doivent aussi être rincés longuement et votre dernière eau de rinçage doit être parfaitement claire.

10. La meilleure façon de sécher vos cheveux, c'est de les laisser à l'air libre. Néanmoins, si vous devez faire un brushing, ne tirez pas trop avec la brosse. Si vous faites une mise en plis, ce qui est préférable au brushing et agressera moins vos cheveux, ne serrez pas vos rouleaux. Dans les deux cas, réglez votre séchoir sur la température la plus douce.

Les soins d'accompagnement

Ils sont essentiels. Il s'agit ni plus ni moins de reconstituer le milieu naturel des cheveux, milieu dont l'équilibre a été singulièrement modifié par le produit défrisant. Pour bien comprendre la nature des soins à apporter, il faut d'abord connaître les bouleversements que la manipulation a pu enclencher :

• Une déstructuration des chaînes de protéines qui constituent la substance même des cheveux. Ceci explique leur manque de ressort après et leur moindre résistance.

• Un dessèchement du cuir chevelu et des tiges, les molécules d'eau qui se fixent habituellement sur les fibrilles de protéines n'ayant plus rien pour s'accrocher. D'où : pellicules et irritations sur l'ensemble du cuir chevelu, cheveux secs et ternes, pointes abîmées et fourchues. C'est dire l'importance des soins d'accompagnement, tant du point de vue de la composition des produits traitants que de la fréquence des applications.

Choix des produits. Les produits de compensation ont deux rôles à jouer : apporter des protéines et hydrater.

Mais attention, hydrater ne veut pas dire graissersystématiquement et avec n'importe quoi : certains corps trop gras bouchent les pores de la peau, empêchent le cuir chevelu de respirer et entraînent un surcroît de pellicules et d'irritations.

En fait, les meilleurs reconstituants pour cheveux défrisés sont les produits réalisés à partir de substances végétales, légères et enrichies de protéines, comme les huiles de grains de lin, de germes de blé, de noisette ou de jojoba, et le beurre de karité. Les graisses animales ou les huiles minérales sont à éviter. En particulier :

• Les vaselines trop épaisses. Elles alourdissent les cheveux, sans les nourrir, et surgraissent le cuir chevelu.

• La lanoline. Dérivé du cholestérol, elle favorise les irritations, ainsi que, selon certains, la sécrétion de l'hormone (DHT), responsable des chutes de cheveux androgénétiques.

• La glycérine. Attirant elle-même l'humidité, elle absorbe et retient celle qui est nécessaire aux cheveux.

Mode d'application et fréquence. Toutes les semaines, après le shampooing, appliquer le reconstituant (crème, masque ou gel) sur l'ensemble des longueurs et du cuir chevelu. Pour laisser aux cheveux le temps d'absorber le produit, attendre au moins une demi-heure avant de rincer. Si le reconstituant peut être gardé toute la nuit, c'est encore mieux. Les autres jours de la semaine, appliquer une crème hydratante ne nécessitant pas de rinçage.

quelques exemples

Marion, 31 ans

Cheveux longs, petites nattes et rajouts. Marion est antillaise et voit avec inquiétude son front et ses tempes s'agrandir. La ligne frontale a reculé de et les cheveux arrivent à l'aplomb des oreilles, sur les côtés. Elle désire néanmoins garder la même coiffure.

Notre diagnostic. Les cheveux naturels sont manifestement beaucoup trop serrés dans les petites nattes, et leurs rajouts ne sont pas de bonne qualité. Ensemble, ils exercent un étirement continuel qui éloigne les racines de leur zone d'irrigation.

Sur les parties dégarnies, la moitié environ des follicules pileux sont morts. L'autre moitié produit encore un petit duvet qui pourra être renforcé. Schéma à l'appui, nous expliquons à Marion l'urgence du problème : si elle n'adapte pas sa coiffure, l'alopécie risque de s'étendre encore tout autour du visage, là où les follicules pileux sont le plus fragiles et le plus sollicités.

Plan de traitement. Concernant les zones dégarnies, nous prévoyons un plan sur 6 mois, pour renforcer et stimuler la vitalité des racines atrophiées, celles qui produisent encore du duvet. Le traitement comprend massages et huiles essentielles spécifiques, à appliquer deux fois par semaine. Des visites de contrôle sont à prévoir tous les mois. Il faut aussi changer la qualité des rajouts, en acheter de nouveaux, moins pesants et plus souples. Les tresses devront être beaucoup moins serrées, au départ de la racine en particulier. Le cuir chevelu sera hydraté tous les 2 jours, par des pulvérisations à base d'extrait d'aloès.

Évolution. Marion a suivi toutes nos conseils, tant au niveau des soins capillaires qu'à celui de sa coiffure. En 6 mois, le duvet a pu être renforcé et les repousses sont maintenant presque aussi vigoureuses que les autres cheveux.

| Pascale, 27 ans |

Cheveux fins et mi-longs, maintenus dans la nuque par un lien. Jusqu'à la naissance de son deuxième enfant, l'année dernière, Pascale allait toujours chez le coiffeur pour ses défrisages. Aujourd'hui, elle n'a plus vraiment le temps et préfère défriser elle-même ses repousses. L'opération a lieu tous les 2 mois, avec l'aide d'une amie. Pascale nous consulte parce que ses cheveux sont très abîmés, « ils ne poussent presque plus », elle ne peut plus se coiffer.

Notre diagnostic. La kératine des tiges est éclatée, les cheveux cassent à toutes les longueurs, plus des deux tiers ne parviennent plus jusqu'au lien. L'examen indique d'autre part des altérations dues à un manque notoire en fer : repousses très affinées sur les dix premiers centimètres, racines atrophiées, caractéristiques d'une anémie ferrique.

Nous expliquons à Pascale que sa chevelure présente deux problèmes distincts : les défrisages répétitifs et une carence en fer, que nous l'engageons à soigner en allant voir un médecin. Quant à la pousse de ses cheveux, nous la rassurons : si elle a l'impression que les longueurs ne s'allongent plus, c'est que les repousses ne parviennent jamais à compenser les cheveux cassés.

Plan de traitement. Localement, pour le manque de fer : stimuler racines et follicules pileux atrophiés par une crème riche en huiles essentielles et extraits biologiques. Afin de faciliter la pénétration du produit, faire précéder l'application d'un massage du cuir chevelu. Le traitement est à suivre pendant 6 mois.

Pour reconstruire la kératine des tiges : appliquer chaque semaine un produit à base de protéines et d'huile végétale. Garder l'application toute la nuit et ne pas faire de défrisage avant 3 mois. Visites de contrôle toutes les 6 semaines.

Évolution. Après 3 mois, les tiges ne se sont plus cassées et les nouvelles pousses ont été plus vigoureuses. Les analyses sanguines sont redevenues normales, grâce à une cure de Féro-Grad prescrite par le médecin consulté. Sur nos conseils, Pascale a espacé un peu ses défrisages et les a fait exécuter à nouveau par un coiffeur spécialiste. Au bout de 6 mois, sa chevelure était redevenue saine. Pascale a décidé de continuer à entretenir ses cheveux, toutes les semaines et avec les mêmes produits, tant qu'ils ne seraient pas tous revenus à la même longueur.

26. chute et soleil

Le soleil est bon pour le cuir chevelu : il active la circulation, aide le calcium à se fixer et fait pousser les cheveux. Mais comme pour la peau, il peut s'avérer très néfaste sur un cuir chevelu fragile et mal protégé. Il peut même provoquer une chute massive, quelques semaines après le retour des vacances. Surtout si l'eau de mer, le sable et le vent se sont associés aux rayons solaires pour entraver le fonctionnement des trois fonctions vitales.

les symptômes

• Pendant et juste après les vacances : cheveux secs et cassants, quelquefois accompagnés de pellicules.

• Quelques semaines après le retour : chute diffuse, plus particulièrement localisée sur le dessus de la tête et pouvant s'étaler sur trois ou quatre semaines.

les causes

Les infrarouges diminuent la sécrétion naturelle du sébum, assèchent l'épiderme et fragilisent les racines, qui ne peuvent plus être alimentées normalement. Ceci expliquerait qu'un grand nombre de cheveux passent alors, en même temps, en phase de repos. Ils tombent 2 ou 3 mois plus tard. Dite « des vacances », cette chute est réversible car le dérèglement du cycle vital des cheveux n'a été que temporaire. Elle sera d'autant plus spectaculaire si elle coïncide avec une chute liée aux rythmes saisonniers (cf. p. 31).

un exemple

Nicolas, 17 ans

Nicolas raconte : depuis 3 ans, ses cheveux sont devenus de plus en plus gras et couverts de pellicules, il est obligé de les laver tous les jours. L'hiver dernier, il a commencé à les perdre et s'est promis de prendre le problème en main, une fois le bac terminé. Mais les vacances sont arrivées et les résolutions se sont envolées. En août, Nicolas a passé 1 mois sur un voilier, ses cheveux étaient moins gras, plus de chute, très peu de pellicules, il s'est cru sauvé. Pourtant 2 mois plus tard la chute est repartie, une chute massive, cette fois, qui l'inquiète beaucoup. Est-ce ainsi que l'on devient chauve, avant même d'être adulte ?

Notre diagnostic. Le test de traction confirme une chute importante sur le devant et le sommet de la tête. Sur ces zones, le cuir chevelu est très épaissi, les repousses sont fines et peu nombreuses, elles ne compensent pas les pertes. Environ 15 % des follicules pileux sont vides, mais la plupart sont encore vivants et pourront être réactivés.

Plan de traitement. Nous essayons de rassurer Nicolas : non, il ne deviendra pas chauve, s'il suit nos conseils et s'y tient. Pour le convaincre, nous reprenons, point par point, tous les éléments de son histoire.

Depuis la puberté, sa chevelure s'est fragilisée, ses fonctions vitales sont perturbées, ce qui explique que ses cheveux soient gras et aient tendance à tomber. Leur chute est liée à une prédisposition génétique, et les vacances, loin de résoudre le problème, n'ont fait que l'occulter un temps, pour mieux l'aggraver. Si cette chute a redoublé, c'est à cause de l'action néfaste du soleil sur son cuir chevelu mal protégé.

Ensemble, nous convenons d'un plan de traitement en deux temps. D'abord, des soins intensifs, à raison de 30 minutes, 2 fois par semaine et pendant 3 mois. Ceci, pour équilibrer les fonctions vitales et normaliser la chute actuelle. Par la suite, un traitement d'entretien constant (10 minutes, 2 fois par semaine) devrait être suffisant pour maintenir l'équilibre des trois fonctions et permettre aux cheveux de conserver un cycle vital normal.

Évolution. La chute s'est arrêtée, au bout de 3 semaines, et les repousses ont été visibles dès le deuxième mois. À la fin du cinquième mois, Nicolas avait retrouvé sa chevelure et ne se lavait plus les cheveux que tous les 2 jours.

Aujourd'hui, 10 ans après, il passe de temps en temps au Centre, pour renouveler ses produits. Ses soins capillaires sont devenus une règle de vie et sa chevelure reste inchangée.

27. chute et maladies dermatologiques

Lors de l'examen d'un cuir chevelu, on peut se trouver parfois en présence de lésions cutanées qui relèvent de maladies bien spécifiques et que seul un dermatologue est habilité à traiter. Ne sont citées ici que les dermatoses capillaires les plus connues, ce qui ne veut pas dire qu'elles soient courantes. Pour certaines, la chute des cheveux est réversible, pour d'autres, elle ne l'est pas.

chutes réversibles

Les teignes. Infection du cuir chevelu, contagieuse et transmissible, provoquée par des champignons microscopiques et se développant à l'intérieur du follicule pileux et du cheveu lui-même. Il existe trois variétés différentes de teignes : la teigne tondante, la plus fréquente en France, le favus et le kérion. En l'absence de traitement, ces parasites entraîneraient l'atrophie des follicules pileux et la chute définitive des cheveux atteints. Aujourd'hui, les médicaments *antifongiques* (médicaments utilisés dans le traitement des infections par champignons) font disparaître ces parasites, après un traitement de 1 ou 2 mois. Les cheveux repoussent au bout de 6 mois à 1 an. L'affection peut cependant laisser des traces, avec une chevelure plus clairsemée, surtout dans le cas du kérion.

chutes irréversibles

Le lupus érythémateux. Maladie inflammatoire, d'origine auto-immune. Des lésions rouges et squameuses (pellicules) apparaissent sur certaines parties du cuir chevelu. Elles aboutissent à l'atrophie, puis à la destruction définitive du follicule pileux.

Le lichen plan. Maladie cutanée courante, d'origine inconnue. Caractérisée par l'apparition de petites taches saillantes, elle peut toucher différentes parties du corps et, entre autres, le cuir chevelu. Elle laisse sur celui-ci des aires cicatricielles, sans repousses.

La sclérodermie. Autre maladie auto-immune, touchant surtout les femmes, entre 40 et 50 ans. Elle se caractérise par une sclérose progressive du derme. Lorsqu'elle se situe sur le cuir chevelu, elle forme des bandes bien délimitées de tissus sclérosés et blancs. Elle laisse d'importantes séquelles et les cheveux ne repoussent pas dans les zones touchées.

La pseudo-pelade. Maladie du cuir chevelu appelée ainsi parce qu'elle présente, comme la pelade, des plaques de calvitie disséminées sur le cuir chevelu. Mais, contrairement à la pelade, les cheveux ne pourront jamais repousser, car les follicules pileux atteints sont définitivement détruits.

28. tester vos cheveux

En ce dernier chapitre, nous vous proposons de tester vos cheveux. Si cet examen vous intéresse, il vous suffit de remplir le questionnaire de l'encart ci-contre, d'y joindre quelques cheveux et de poster le tout à l'adresse de notre Centre. Vous recevrez, dans le mois qui suit, sans engagement de votre part, un bilan de votre chevelure, comprenant 4 à 6 pages. Bien sûr, ce test ne pourra être aussi précis qu'un véritable diagnostic exécuté sur place, mais, en croisant les différentes données, il nous sera possible de vous fournir les quelques renseignements suivants :

1. L'état actuel des trois fonctions vitales de vos cheveux

2. L'état de vos cheveux eux-mêmes, leurs faiblesses

3. Les risques encourus si rien n'est entrepris

4. Des conseils de soins pour rétablir le cycle vital normal de votre sytème capillaire et stopper sa dégradation

comment faire le test ?

Les cheveux. Juste avant un shampooing, passer la main dans les cheveux, des racines vers les pointes, en maintenant les doigts légèrement serrés les uns contre les autres. Répéter ce geste plusieurs fois, de façon à recueillir quelques cheveux.

Le mouvement doit être fait à trois endroits différents : sur le dessus de la tête, sur les côtés et dans la nuque. Placer les cheveux ainsi récoltés (quelques-uns pour chaque zone) dans les cases ci-dessous et les fixer à l'aide d'un ruban adhésif transparent. Prendre soin de ne pas mélanger les cheveux venant des différentes zones.

Quelques cheveux du dessus de la tête

... des côtés

... de la nuque

Expédition. Après avoir lisiblement rempli le questionnaire et joint les cheveux, adresser cet encart, sous enveloppe affranchie, au Centre Clauderer, 346, rue Saint-Honoré, 75001 Paris.

Votre nom ....
Prénom ....
Adresse ....
    ....

Votre sexe ....   Votre âge ....
Votre taille ....   Votre poids ....

Vos cheveux sont :
naturels ....☐   colorés ....☐
permanentés ....☐   défrisés ....☐

Vos shampooings :
1 fois/semaine ou moins .....☐   3 fois/semaine ....☐
2 fois/semaine ....☐   + de 3 fois/semaine ....☐

Au bout de combien de jours vos cheveux graissent-ils ? ....

Votre chevelure est :
épaisse ou moyenne ....☐   clairsemée ....☐
faible ....☐   calvitie ....☐

Votre cuir chevelu transpire-t-il lors d'efforts ? ....oui ☐   non ☐

Avez-vous des pellicules ? ....oui ☐   non ☐
Si oui :
elles tombent ....☐   elles restent collées ....☐
Avez-vous des pellicules au bord du visage et des rougeurs ? ....oui ☐   non ☐
Utilisez-vous un shampooing antipelliculaire ? ....oui ☐   non ☐
régulièrement ....☐   occasionnellement ....☐

Vos cheveux tombent-ils en ce moment ? ....oui ☐   non ☐
Si oui, pensez-vous que cette chute est due à :
des difficultés personnelles ou professionnelles ....☐
un choc émotionnel ....☐
une maladie ....☐
un traitement médical ....☐
une intervention chirurgicale ....☐
une grossesse ....☐
autre ....☐

Dans votre famille,
les hommes ont-ils tendance à la calvitie ?   . . .oui ☐   . . . . non ☐
les femmes ont-elles tendance à la calvitie ? . . .oui ☐   . . . . non ☐

Suivez-vous un traitement médical ? . . . . .oui ☐   . . . . .non ☐
Lequel ? . . . .
. . . .
Prenez-vous régulièrement des somnifères ? . . .oui ☐   . . . . non ☐
des antidépresseurs ? .oui ☐   . . . . non ☐
Avez-vous suivi un régime amaigrissant ? . . . . .oui ☐   . . . . non ☐
Pendant combien de temps ? . . . .

Appliquez-vous du minoxidil ? . . . . .oui ☐   . . . . non ☐
Depuis combien de temps ? . . . .

Pour les femmes :
Prenez-vous la pilule, des hormones ? . . . . . . .oui ☐   . . . . non ☐
Lesquelles ? . . . .
Avez-vous des enfants de moins de 1 an ? . . . .oui ☐   . . . . non ☐
Combien de grossesses ? . . . .

Les problèmes qui vous gênent le plus :
les cheveux tombent . . . .☐
ils sont moins nombreux . . . . ☐
ils s'affinent . . . . ☐
ils sont gras près de la racine . . . .☐
ils sont gras sur toute la longueur . . . . ☐
ils sont mous . . . . ☐
ils sont cassants . . . . ☐
ils sont fourchus . . . . ☐
ils se coiffent difficilement . . . . ☐
ils se démêlent difficilement . . . . ☐
les pellicules . . . . ☐
les démangeaisons . . . .☐
ils sont secs . . . .☐

Vos observations . . . .
. . . .
. . . .
. . . .

index
des termes spécifiques

Alopécie	40	Lambeaux	103
Anagène	28	Liposome	40
Androgènes	37	Mélanine	34
Androgénétique	109	Microgreffes	101
Bulbe	26	Minigreffes	101
Calvitie	40	Muscle arrecteur	27
Canal folliculaire	27	Nutriment	70
Catagène	29	Œstrogènes	131
Couronne hippocratique	113	Papille	26
Cycle vital	28	Pigments diffus	34
DHT	118	Pigments granuleux	34
Disulfuré	197	Phototrichogramme	57
Expandeurs	105	Progestérone	131
Expansion tissulaire	105	Racine	26
Follicule pileux	26	Réduction de tonsure	104
Fonctions vitales	41	Séborrhée	42
Gène de croissance	39	Sébum	27
Glandes endocrines	37	Télogène	29
Glande sébacée	27	Testostérone	117
Glandes surrénales	37	Tige	26
IMG, IVG	37	Trichogramme	57
Kératine	28	Vasodilatateur	89
Kératinisation	28		

Cet ouvrage a été réalisé par la
SOCIÉTÉ NOUVELLE FIRMIN-DIDOT
Mesnil-sur-l'Estrée
pour le compte des Éditions Robert Laffont
24, avenue Marceau, 75008 Paris
en février 1996

Imprimé en France
Dépôt légal : janvier 1996
N° d'édition : 36702 - N° d'impression : 33000